恐怖谷

眞相大

作者：柯南·道爾（Arthur Conan Doyle，1859～1930）

處處留心皆學問——
福爾摩斯的冷靜智慧

顏世錫

福爾摩斯探案是許多人年輕時代裡鮮明的記憶，也是我早年喜愛閱讀的故事，世界書局在七十年前第一次把它引入中國白話文的世界，如今又重新編修出版。閻初總經理託我爲這套書作序，她是我多年好友，也是我從江兆申老師習字時的小師妹，因此便慨然應允。

故事書中懸疑緊湊的情節，現在讀來仍舊津津有味；但我從事警政工作幾十年來，早已在犯罪的刀光血影中走過千百回，也經歷了各式大小案件，如今重讀此書，感覺最值得玩味的，是福爾摩斯的冷靜、智慧和勇氣。他敏銳的觀察力和縝密的推理分析實是破案的重要關鍵。當然，隨著時代的進步，各種鑑識科技應運而生，爲偵辦工作提供了更多更好的輔助，但這位神探的博學多聞、細心耐心、追求眞理、堅持原則的特質，應該是這套書背後所傳達的重要意涵。這不僅是犯罪偵查人員必須具備的要件，引申到現代生活中，也是一般大眾應該加強的思維。

近年來，治安問題始終是大家關切的焦點，犯罪手法的翻新和犯罪年齡的下降給社會帶來了空前的挑戰。今日，打擊犯罪要靠警民合作，不要妄想仰賴一、二位超人神探，而是要靠許多福爾摩斯的配合——人人都應留意自己周遭的人事物，遇有狀況，冷靜分析，並熱心負起改善治安的責任。青少年朋友更要不盲從、不衝動、多用眼、用腦、用手去開啓自己正確的路。其實，福爾摩斯風靡世界一百年，始終在各個時代裡蟬聯青少年心中的英雄，他永遠光鮮的外表、永遠零亂的書桌、他獨特的衣帽煙斗、千變萬化的喬裝掩飾、冷靜聰明的頭腦、鍥而不捨的作風、濟弱扶傾但尊重法理的俠義精神，不也正符合我們這個時代年輕朋友最「酷」的選擇嗎？與其盲目崇拜偶像，不如冷靜分析什麼是自己該堅持的主張，才不致迷失徬徨。

我想，福爾摩斯雖然是在柯南・道爾筆下塑造的人物，但能跨越時空、歷久彌新，是因爲他以最有趣引人的手法，在許多人的生活中引起共鳴：我們都有探索黑暗與未知的好奇，也都有找出眞相、伸張正義的嚮往；我們都希望具備超人智慧，能先知先覺地解決難題，也都希望在零亂紛擾的疑團中抽絲剝繭地理出邏輯。就在事實與想像裡、在假設與證據間、在科學理論與小說創作下，你我心中都有福爾摩斯的影子！喜見世界書局再一次把他帶進讀者的世界，也希望讀者把他的冷靜、智慧與勇氣帶進自己周遭的世界。

一九九七年十二月二十五日

出版緣起　當福爾摩斯重現世界

閻初

一八四一年，美國，愛倫．坡發表《莫爾格街謀殺案》，偵探小說這個名詞第一次出現。當時，在東方，列強的炮火早已轟開了中國的大門，他們正用鴉片對這個民族進行集體謀殺。林則徐等人企圖緝兇歸案，但終告失敗。

一八八七年，英國，一位身材削瘦、披著斗蓬、叨著煙斗的神探誕生了。當時，正值光緒十三年，慈禧歸政德宗，其實東方也很需要一位智多星，能幫著皇帝懲惡捉奸、撥亂反治。

接著，甲午戰爭、戊戌變法後，晚清的翻譯小說便紛紛出現，一九〇二年，最早的一篇文言福爾摩斯刊登在梁啓超編的《新民叢報》和《新小說》上。

民國十六年，上海，世界書局出版《福爾摩斯探案大全集》，由「中國偵探泰斗」程小青和嚴獨鶴、包天笑等人以白話文翻譯。從此，這位西方的神探便正式進駐龍蛇混雜的十里洋場，而他的傳奇經歷，也快速地傳遍中國各地，成爲家喻户曉的人物。

譯者程小青先生自幼喪父，原本在鐘錶店裡當學徒，工作之餘便到夜校補習英文。他寫作時認眞嚴謹，講究專業精神，除了大量閱讀西方偵探小說外，還特別透過函授，修習美國警官學校的犯罪心理學和偵探應用技術等課程。據聞，每當他開始構思小說情節時，常常跑到杳無人煙之處，苦思冥想，直到倦鳥歸巢，他才返家命筆。透過他的譯筆，福爾摩斯成爲風靡大衆的一個有情、有理、有趣的偶像。

東方古老沈重的社會裡，永遠流傳著包青天、施不全的奇聞軼事，他們是神仙下凡，是老天爺賞給小老百姓的難得恩賜；但洋人筆下的福爾摩斯，卻是科學的、智慧的凡人，他靠冷靜謀略使眞相大白、讓沈冤昭雪、叫惡人伏法，舉凡聰明博學者皆可爲之。福爾摩斯的受歡迎、被認同實也反映了當時社會的背景：問天聽天的封建已被打破，科學民主正是主流，西潮洶湧、人心激盪，而苦難仍是一個接著一個地降臨在小老百姓身上，於是，人們期盼一個合邏輯的救難英雄——福爾摩斯正適合；人們也渴望脫離無解的現實，進入另一個善惡分明、凡事找得到答案的文明世界——偵探小說正是這樣一個非神化的理性空間。

當時的社會背景也符合現在的情境，只是，物慾更橫流、道德更淪喪、犯罪更猖狂！

一九九七年，福爾摩斯重現世界，距離他第一次在我們的白話文世界裡出現恰巧七十年，古人說：「七十而從心所欲，不逾矩。」所以，我們在忠於原著並尊重譯者的原則下，將百餘萬字重新順讀潤飾，並修改程小青先生的上海方言、文白夾雜和人名地名的翻譯，以便更符合現代閱讀習慣。我們相信新的口語、新的包裝，將帶給福爾摩斯新生的體魄，再加上他歷久彌新、雋永沈潛的智慧與勇氣，必更能遊刃有餘地展開工作。然而，現代犯罪花樣的翻新、犯罪組織的龐大，豈可靠一個神探解決，所以，世界書局徵召各方好漢，一起來做他智勇雙全的好幫手。

偵探小說向來不被新文學正視，它只是個生活消遣品，但它確實能反應出某些社會意義。百餘年來，我們中國人從那個問天祭天謝天的封建中走過來，掙著敲打出這個民有民治民享的雛局，但目前的自由和法治眼看正在消失，於是在亂相威逼下，人們方才醒悟到在民主社會中，天子可以推翻，但天道不可悖離，個人的小惡、眾人的姑息，必將鑄成大錯，不可收拾。今日我們撥亂反治，也不能只翹首青天，還是要從每個小人物的細心、關心和警覺心做起。這套「化了妝的社會科學教科書」，或許能啓發我們一些敏銳觀察、分析判斷和沈穩處事的能力。畢竟，花繁柳密處撥得開，方見手段；風狂雨驟時立得定，才是腳跟。我們愛這花花世界，總要在變通與原則之間，找出自己安身立命的方法。

福爾摩斯長篇探案

恐怖谷(*The Valley of Fear*)

目錄

下卷

恐怖谷(原名The Valley of Fear)

上卷

第一章　警告

我說道：「依我看來……」福爾摩斯很不耐煩地搶著說道：「我應當這樣做的。」

他的目光注視在一張小紙上面

我自信是個很有耐性的人，但我見他打斷了我的話，讓我覺得很不快活。

我不禁抗議道：「福爾摩斯，你這樣嚴厲，眞令人難受。」

他正在沉思著，並不回答我任何話。他用手支著頭，在他面前的早餐，都沒有吃。他的目光注視在一張小紙上面，這張紙是剛剛才從信封中取出來的。他舉起那張紙，在日光中，反覆詳察。

他想了一想，便道：「這是卜羅克的筆跡。他的筆跡，我以前雖只見過兩次，但我敢斷定這是他寫的。因爲他所寫的『e』是希臘式的花體，很清楚的。但假使這信果是從卜羅克處寄來的，那一定是非常重要的了。」

歇洛克•福爾摩斯

他雖是喃喃自語，不是和我說話，但我聽了他的話，卻興致勃勃，氣憤頓時全消。我問道：「卜羅克是誰？」

「華生，卜羅克是一個假名，代表著一個詭詐多端的人物。他在前一封信裡明白告訴我說，卜羅克三個字並不是他的眞姓名，他並且誇口說，在倫敦幾萬人當中，很難找出他的蹤跡的。卜羅克固然是個重要的人物，不過據我看來，最重要的，卻是他所交往的人。那好比鯖魚和鯊魚做朋友，野狗和獅子做朋友，可算是物以類聚。那個人的勢力遠勝過卜羅克數倍，他的權勢更使人畏懼。華生，他不但可怕，而且更是陰險到極點。我所以籠絡卜羅克，讓他陷入我的勢力範圍，便是想利用他。你聽我說過有名的大教授莫理亞提嗎？」

「他是個著名的罪徒，在惡人之中聲譽很高，而……」

福爾摩斯發出不贊成的聲調，說道：「華生，你錯了。」我道：「我本是要說『而一般大衆並不知道。』」

福爾摩斯喊道：「妙呀！你眞是狡黠而善於措辭。你是用法律的眼光來看莫理亞提是個罪人。那人的機巧，是全世界無人出其右的。他是個陰謀家，有能力破壞一個國家，但他的外表卻截然不同，人家只見他操行耿介，都相信他是一個好人。所以你方才的話，假使讓他知道了，他會訴之法律，控你毀謗他的名譽。你可知道他就是《行星力學》的作者？從這部書中，可以瞧見他對數學的精研已到了極點，現在科學界的人，沒有一個有資格批評他。這樣的人可以譏毀嗎？華生，那人眞是個天才。但我想總有一天會遇見他的。」

我很快活地說道：「我也希望會有這麼一天去見見他！但你剛才說卜羅克……」

「是的，卜羅克這人好像錶鍊上的一節，離開鍊端上所繫的巨物不遠；不過卜羅克在我們中間，並不能算是強固的一節。他只是我所能掌握的一個薄弱環節罷了。」

「但依我看來，這薄弱的一節，也大大有用呢。」

「華生，這當然沒錯。所以卜羅克還是重要的人物。我靠著他，對未來有不少的熱望。我千方百計籠絡他，又出重金賄賂他，他就會一次又一次地把消息洩漏給我。那些消息都很有價值，讓我能在事前阻止莫理亞提的陰謀。假使我現在能明白這些暗碼，我們一定能知道信上的話是什麼重要的事。」

福爾摩斯又把信箋展直了置在瓷盤中。我也站起身來，走到他的身邊，看見一些很奇怪的數目字，像下面所寫的：

534 C2 13 127 36 31 4 17 21 41 Douglas
109 293 5 37 Birlstone 26 Birlstone 9 127 171

「福爾摩斯，你認爲這些數字究竟是什麼意思呢？」

「這是很明白的，他用祕密的方法來向我

報告消息。」

「但這些數目字的信息，若不用密碼本說明，又有什麼用呢？」

「像這樣的密函，是用不著用密碼本的。」

「你爲什麼說『像這樣的密函』？難道以前你也見過這種信嗎？」

「因爲之前我收到的暗碼信，不論如何繁複，都很容易明白，讓我覺得很有趣味。但這次卻不同了：這些數目字，一定是指某本書中某頁上的字，只不過不知道是那一本書，也不知道在第幾頁上。」

「道格拉斯(Douglas)和勃耳司冬(Birlstone)兩字，是什麼意思呢？」

「這很容易明白。大概因這兩個字，是在那本書上沒有的，所以只得清楚地寫出來。」

「那麼，他爲什麼不指明那本書呢？」「華生，你的聰明也被這些數目字難住了。他所以把暗號寫給我，是因爲保密的緣故，假使還把書寫明了，人家都能知道，還算什麼祕密呢？現在郵差快來了，假使他沒有第二封信來指明這些暗碼的讀法，那我也就無法釋疑了。」

福爾摩斯的料想果然沒錯。幾分鐘後，僕人弼雷走進房裡，呈上來一封信，正是我們所盼望的。

福爾摩斯拆開信，說道：「是一樣的筆跡。」

他打開信箋，很快活地說道：「並且有他的親筆簽名在上面。華生，快一同來看，這裡面必有好消息哩。」

但當他把那信中的內容看完，雙眉不覺緊蹙起來。

「唉！可惜！我失望極了。華生，恐怕我們的希望只落得一場空了。我希望卜羅克還沒受到傷害。」

福爾摩斯遂讀信道：「『福爾摩斯先生，我不要再做這種事了，實在太危險了，他已開始懷疑我。我知道他已有懷疑我的心。當時我正要把前信數目字的祕鑰告訴你，沒想到才把地址寫好，他竟出乎我意料地忽然走來，幸虧我乘機掩飾，沒被他窺見。假使讓他知道了，對我將非常不利。我從他的眼神看得出他有懷疑我的意思。現在請你快快把我寄給你的那封暗碼信燒掉。因爲這封信現在已對你沒有用了。

——弗萊特・卜羅克。』」

福爾摩斯默坐了一會，搓弄著這封信，他的雙眉緊皺，目光注視著火爐，默然無語。

最後，他才說道：「也許沒這麼嚴重，或者是他自己作賊心虛。他知道自己洩漏了祕密是不忠於他的黨，所以看到別人的眼神，都好像在懷疑他的樣子。」「他說的那人，我想一定是莫理亞提教授了。」

「當然沒有別人。他們黨裡人稱呼的『他』，大家都曉得是指什麼人。在他們的心中，只有這一個超然特出的『他』。」

「但他有什麼能力呢？」「哼！那倒是個大問題。那人的勢力已超出全歐洲，其背後又有許多黑暗的惡勢力。假使你遇見他，也要失去自由，難以對付的。卜羅克是懾於他的威勢，被嚇壞了。我們只要把前後兩封信細細比較，便可看出他的心裡已十分害怕。因爲第一封信寫得很整齊。而現在這封信卻字跡潦草，大不相同。」

「他爲什麼還要再寫信來呢？何不就此罷休，不是更簡單直接？」

「他怕我不明白他所寫的密函，勢必會再

向他詢問，那便反使他受累了。」

我道：「沒錯，鐵定是這個理由了。」我說著，就把那一封以暗碼寫的信，拿起來細細研究。我也不禁蹙額說道：「這一張紙，一定隱藏著很重要的祕密。但是人的智力有限，實在很難看出。」

歇洛克・福爾摩斯把那不曾用過的早餐，推在一邊，然後燃著了煙斗吸煙；這是他深思時的良伴。

他仰著頭，身體倚在椅背上，瞧著上面的天花板，說道：「我覺得很奇怪！這信實在是迷惑難測。若我們靠簡單的推理去解決這問題，也許能找到一線光明。這人所示的，一定與某本書有關，我們可從這一點去推想。」「但這點實在難以開始。」

「我們姑且把它的調查範圍縮小並集中思

考也就不難猜度了。對於這種書籍，我們可以有什麼線索呢？」「沒有。」

「我想不致於這樣。密函中的第一個數目是534吧？我們因此可以斷定這個534一定是暗喻某本書籍的某頁，所以這本書一定很厚。而且那本書內容豐富，竟可借用來寫信。此外還有什麼暗示會與這本書有關係呢？第二個暗示是C2，華生，你想這是什麼意思？」

「那自然是說第二章了。」（譯者註：即英文Chapter 2）。

「華生，不見得吧。信中既然指明頁數，何必還要指出章數。並且第二章的頁數若已到了534，那麼第一章一定多得不可思議了。」

我喊道：「欄數！」（Colume）「華生，你今天眞是聰明過人了。假使不是欄數，我也被他欺騙了。現在你已知道，我們所要的是一本很厚的書。那本書是印成兩欄，每欄又很長，字數也很多；因爲暗碼中有一個293的數目。現在我們的推理是否已到底了呢？」「恐怕是的。」

「那太看輕自己了。我親愛的華生，我們應當再鼓起勇氣去研究這個問題，假使這是本不常見的書，他必然會把這本書籍寄來。但他在後一封信只提到要授我祕鑰，並沒說要寄書，可見這本書一定是本普通的用書，他相信我一樣也會有，不難找到的。華生，總之，這本書一定極普通。」「你的假設很合理。」

「所以我們要找的只是一本印成兩欄的巨大書籍，且是一般人都會用的。」

我很得意地喊道：「聖經！」「華生，你推理得很好，但我說卻未必對。因爲莫理亞提教授手下的黨徒未必都有聖經。並且聖經的版本很多，卜羅克也難以肯定書的版本一定相同，不會有先後的差異。由此可知他所指的那本書的印刷和版本，一定有統一的標準，在他書上所指的534頁，一定也就是我書上的534頁。」

「但像這種書卻很少。」

「是的，我們思考的範圍，漸漸縮到那種有標準的書了。並且這種書，大概人人都有。」

「蕭伯納的著作。」

「華生，這也不對，因爲蕭伯納的文字洗練，詞彙有限，很難從這裡面揀選出字來湊成一封信的。因此我們可以排除它。字典也有著同樣的問題，不適用的。那麼還有什麼書籍呢？」「那一定是年鑑了。」

「對了！華生，假使你說的年鑑還不對，我就要墮入五里霧中，找不到光明了。現在可先拿惠特克年鑑檢對。這書很普通，頁數很厚，又是雙欄印的，應該不會有錯！」他遂在桌子上找到了這本書，翻開看著，說道：「534頁，在這裡了。在第二欄裡所紀述的是關於印度商業和資源的事情。華生，你代我把字記下。第十三個字是馬拉塔(Mahratta，印度西部的民族)，不對了，信以這字開頭並不妥。第一百二十七個字是政府(Government)。這字稍覺有些意義，但對於我們和莫理亞提，毫不相關。我們且再試試看，馬拉塔政府做些什麼呢？唉！第三個字，是豬鬃(Pigs' bristles)。華生，我們枉費功夫了。這推論完全不對了。」

他說罷，臉色立沈，露出很失望的樣子。我也怏怏地坐在一旁，看著爐火，大家都默然無語。這樣沉寂了很久，福爾摩斯忽然大呼而起，奔到書櫃邊，從櫃裡取出一本黃色封面的書來。

他說道：「華生，我們太急了，理當受相當的懲罰。今天是一月七日，我們遂注意到新書上去，但卜羅克所指的，大概還是去年的年鑑。假使他有解釋的信來，一定是要告訴我這些的。現在我們且查閱第534頁中寫些什麼。第十三個字是There，這字用得很廣，有些意義了。第一百二十七個字是is，湊成『There is』。這時福爾摩斯的兩眼炯炯有神，他那瘦而敏捷的手，一面數著字，一面顫動著。他又說道：『Danger』哈哈！對了，對了。華生，請你幫我記下。There is danger-may-come-very-soon-one。其次是原有的道格拉斯(Douglas)一字，再下便是rich——country——now——at——Birlstone——House——Birlstone——Confidence——is——Pressing(大意說：現在有危險的事，將要降臨在富紳道格拉斯身上，這人住在勃耳司冬古堡，急待拯救。）華生，你想這事是怎樣呢？如果賣果菜的人，有賣桂花的花圈，我一定要差弼雷去購取！」

我看著這奇怪的書信，獨自默想了一會。

我說道：「他表達的意思，爲什麼這樣的牽強？辭句似乎是不相連貫的。」

福爾摩斯道：「我不贊成你的話，他做得很好。假使現在要你在欄中找出許多適當的字來用，一定也會覺得困難。這封信的意思很清楚，莫理亞提的黨徒，正蓄意謀害道格拉斯。那人是勃耳司冬村裡的富紳，卜羅克知道了這件陰謀，所以他表示出非常緊急的意思。這樣，信中的意思就不難解釋清楚了。」

福爾摩斯覺得很快活，剛才雖經過窮思苦想，但現在卻笑容滿面，自喜著他的成功。這時弼雷忽然推開門，引進一個客人，來的人正是蘇格蘭警場的警官麥克・唐納。

一八八○年時，麥克・唐納還沒有像現在這樣著名。後來因偵查不少奇案都非常成功，聲譽便如日中天。他是一個青年才俊，很有偵探的才幹，且技高一籌，因此深受信賴。他身材高大，骨節盡露，足見他的體力矯捷。他的頭顱巨大，兩眼深陷，銳利的眼光從他的濃眉下直射出來。他的外表沉默，說話帶著濃厚的蘇格蘭腔。福爾摩斯曾經兩次協助他探案，也都得到成功。我的朋友認爲破案是件樂事，他只是喜歡研究疑難的問題，並不想得到什麼功勞。因此之故，麥克・唐納很敬重我的朋友，認爲我的朋友度量大，是常人所不及的。他也並不以爲他自己學識兼優，是歐洲的大偵探，不需要求教於人。他常常向我的朋友請教。福爾摩斯平日雖不喜歡和人交往，但卻很樂意和這偉大的蘇格蘭青年相見。

他道：「麥克先生，你來得眞早啊！我恐怕你這次趕來，又是爲了什麼案件了。」

麥克笑了笑，說道：「福爾摩斯先生，我認爲你說『希望』，而不說『恐怕』比較對。謝謝你，我不吸煙。我今天早晨到你的府上來，實在是有些要事。時間寶貴，我必須立即著手。這種情形，只有你最了解了。但——但——」

麥克忽然停住，不說話，露著驚異的表情，他的目光注視著桌上的紙，那就是我們剛才譯出的密函。

他喃喃自語道：「道格拉斯——勃耳司冬！……福爾摩斯先生，這是什麼？簡直是魔術！你從那裡得到這些奇異的名詞？」

「這是一種暗示，是華生醫生和我偶然譯出來的。但這些名詞和你的事情有什麼關係呢？」

麥克忽然停住，不說話，目光注視到桌上的紙。

麥克注視著我們兩人的臉，一副不可置信的樣子。

他說道：「正是這個住在勃耳司冬古堡的道格拉斯先生，在今晨被人謀殺了。」

第二章　談話

這事眞的很奇怪。但我的朋友卻不動聲色，絲毫沒有任何驚異的樣子，似乎不論怎樣慘酷的消息都不能刺激到他。但並不表示他的心如鐵石，木然無動，因爲他的智謀和經驗，對於這種慘事早已司空見慣，因此變得無足爲奇了。他的表情很嚴肅，露出專注的樣子，好像化學家正注視著他所從事的溶解劑。

他說道：「意外！意外！」麥克道：「但看你的表情，並不覺得驚訝啊。」

「麥克先生，這事很有趣，但並沒有什麼値得驚奇的。我爲什麼一定要驚奇呢？我從某處得到了祕告，知道有危險的事將要降臨到一個人身上；而在一小時內，我又知道這危險的事情已發生，並且那個人也已死了。我一直都很注意此事，但並不驚訝。」

他很簡單地把那封信和數字解釋給麥克聽。麥克．唐納兩手支著頭，褐色的眉毛緊緊蹙著。

他道：「今天早晨我要到勃耳司冬，所以特地到此，想請你和你的朋友一同前去。但聽了你的話，我們不如留在倫敦，或許更能得到些幫助。」

福爾摩斯道：「我不這麼認爲。」

麥克喊道：「福爾摩斯先生，這是什麼意思？在這兩三天裡，報紙上將要滿載勃耳司冬的祕案。罪行尙未揭露之前，在倫敦卻已有一個人能預知這件事情，豈可不加研究呢？我們只要把這人捕獲了，其餘的事情就都不難迎刃而解了。」

「麥克先生，這話當然沒錯，但你要如何捉住這個假名叫做卜羅克的人呢？」

麥克・唐納把福爾摩斯拿給他的信，翻過來察看，道：「這是從康伯威爾發出的——那也沒有什麼幫助。你又說名字是僞造的，的確不容易緝獲，但你不是說送過他金錢嗎？」「已有兩次。」「怎麼送去的呢？」「直接寄到康伯威爾的郵局。」「你可曾查究過誰拿走錢的？」「沒有。」

這警官的臉上露出驚訝的表情，道：「爲什麼不查究呢？」「因我守信約的緣故。當我和他第一次通信的時候，我允諾不去查究他的行蹤的。」「你認爲在卜羅克的後面，還有什麼人在操縱？」「當然有的。」「就是我聽你說過的那位大教授嗎？」「沒錯。」

麥克・唐納聞言微微一笑，斜睇了我一眼，眼睛連連眨動著。

「福爾摩斯先生，恕我直言了。我想你對於那位大學教授，不免有些偏見。這事我自己也調查了好幾次，我覺得那人才學兼備，是一個很有才能的教師，很值得尊敬的。」「我很佩服你能讚賞他的才能。」

「我的朋友，你要知道那人的才學，實在是讓人敬服。前次我聽你說起了他，就決定要親去見他。後來我和他見了面，談論天文日蝕的問題。我因一時不易領悟，他就取出一座迴光燈和地球儀來，說明給我聽，過不了幾分鐘，已講解得淸淸楚楚。他又把他所作的書借給我，我讀了茫然不解，可見他的才學勝人。他的面容稍瘦，滿頭灰色的頭髮，談話時極爲肅穆。若要他執掌政府要職，也定能克稱其職。

在我們辭別的時候，他把手放在我的肩上，好似慈父在他的愛子來到冷酷的世界以前，代他祝福一般。」

福爾摩斯聽了，不禁發笑，搓著兩手，說道：「很好，很好，麥克老友，請你告訴我，你和他歡然敍談的地方是不是在他的書房裡面？」「是的。」「是一間陳設很精美的書房嗎？」「福爾摩斯先生，那間書房眞的是精美而華麗。」「你坐在書桌的前面嗎？」「正是。」「你的座位可是正對著日光，而他卻在暗處？」「那天是晚上，已沒有陽光，但我記得燈光正好照在我臉上。」「是的，你可曾注意到在那大學教授的背後，懸掛著的那一幅畫？」「福爾摩斯先生，我雖印象有點模糊，但聽了你的話，我似乎想起那時確曾見過一幅畫掛在壁上，畫上有一個美麗的女子，以手托著香腮，豔麗得很。」「那畫便是葛露士的手筆。」

麥克勉強做出很注意的樣子。

福爾摩斯交叉著兩手。把身子靠在椅背上，接續說道：「葛露士是法國的著名畫家，在一七五〇年至一八〇〇年間聲譽卓著。他作的畫人人都很讚賞，直到現在，美術界中還是盛稱他的畫名，所以他的作品比他在世時還値錢。」

麥克似乎不耐，說道：「我們不如……」福爾摩斯打斷他道：「我們正是在談這件事情，我所說的一切，都是和你描述的勃耳司冬慘案有直接的關係。換一句話說，也就是這案的中心點。」

麥克．唐納微笑著，對我瞧了一眼，好似不信任的樣子。他說道：「福爾摩斯先生，你的想法和我相去太遠，實在令我不易捉摸。那個已死的畫家，相隔已有百年，和這勃耳司冬的慘案有什麼相關呢？」

福爾摩斯道：「不論什麼知識，對於偵探家都有用處，雖是小小的一幅畫也須留意。在一八六五年的時候，葛露士一畫的價值，在樸特列司拍賣場已超過四千鎊的價錢，你還記得嗎？」

麥克聽了，臉上頓時露出注意的樣子，不像之前的淡漠了。

福爾摩斯繼續說道：「我可提醒你，那教授的年俸依幾種可靠的書上顯示，不過七百鎊的數目。」「那麼他怎能買……」「是的，他怎有錢買這幅名貴的畫呢？」

麥克想了一想，說道：「唉！這是很值得注意的，福爾摩斯先生，請你繼續講下去，我洗耳恭聽。」

福爾摩斯微微一笑。大凡心思靈敏、有著藝術家性格的人，得了人的稱讚，沒有不深喜的。他問道：「勃耳司冬的事怎樣了？」

麥克取出錶來一看，說道：「時候還早。我有馬車在門外等，二十分鐘便可送我們到維多利亞車站了。但是講起那幅畫來，福爾摩斯先生，我想起你曾經告訴過我，你是不曾和莫理亞提教授見過面的。」「我的確沒有見過他。」

「那麼，你怎會知道他屋中的情形呢？」

「這是有別的緣故的。我已到過他的屋中三次。前兩次，是等他出去的時候，假託了姓名，前去探詢，在他未歸的時候，我就走了。還有一次，我不便在官方偵探面前講出來。那是最後的一次，我潛入他的房裡去搜檢信件，卻沒有得到什麼。」「你總該得到他的祕密證物了。」

「實在沒有，這很使我驚訝。不過，就憑

那一幅畫，已可見得他極富有了。他怎麼會這麼富有呢？他沒有娶妻，他的弟弟是在西英倫車站當站長，他自己每年的收入又只不過七百鎊，但他卻能收藏葛露士的名畫？」「那眞是奇怪。」「這證據當然是很重要的。」

「你認爲他大部分的收入，都從不正當的地方得來的？」

「是的，這當中有很多的理由使我疑心。還有許多蛛絲馬跡，別人所不注意的，我都注意到了。我現在是依你觀察所得來講，所以只說了葛露士的畫。」

「福爾摩斯先生，我承認你的話都很值得注意，也使人非常驚訝。但我們想要更明白些，他怎樣得到這許多金錢？是私鑄的呢？還是僞造鈔票？或是劫掠而來的？」

「你可曾讀過喬納森·慧爾特的故事？」

「這名字倒很熟悉，大概是小說中人，是不是？我並不喜歡看偵探小說，因爲這些多是作者的想像，知其然而不知其所以然，只不過讓人看了興奮有趣，卻沒有一點用。」

「喬納森·慧爾特既不是偵探，也不是小說中的人物。他是一個巨盜，大約生於一七五○年。」

「那麼，他和我們沒有什麼關係。我是一個講實際的人。」

「麥克先生，你若要實際，應當花三個月靜心研究那本喬納森·慧爾特的書。你應該知道這本書是罪惡的原宗，莫理亞提兇險的計劃大都從這書裡採擷的。在一七五○年時，倫敦盜犯中有一股潛在的勢力，就是由喬納森·慧爾特所推動。他常常運用他的頭腦和心思想出陰毒的計謀，雇用一班黨徒，四處劫掠，但他自己卻很安然的享受其利，毫不受連累；那人陰謀之厲害可見一斑了。現今盜風又興盛起來，那個莫理亞提就是沿襲喬納森的故計，操縱一切。我可講一二件關於莫理亞提的事來引起你的興趣。」「我十分歡迎，就請你講吧。」

「他們黨中羽翼很多；勇武善戰的巨盜猾賊，以及賭徒、無賴等各種歹人都有。其中有一個領袖，是一個退伍的上校，名叫馬萊。他受莫理亞提的旨意，管領同黨，聲勢浩大，但法律對他也無可奈何。你想莫理亞提給他的薪水是多少呢？」

「我很想知道，但我不曉得是什麼數目。」

「一年六千鎊，英國國務大臣的年俸，也不過這個數目。從這上面可知莫理亞提的收入實在讓人驚訝。所以我很想查察他所有的財產，我見過莫理亞提支付日常用度簽出的幾張支票，共有六家銀行。你對於這一點，可有什麼意見？」「眞是奇怪。」

「他不過藉此使人不知道他究竟擁有多少財產。我知道他存款的銀行多到二十餘家。他大部分的錢財都存在外國銀行。總之，那人計謀精密，將來你如有時間，可以細細地推求。」

麥克聽了福爾摩斯的話，全神灌注，好像失了神。但他本有的一種蘇格蘭智慧，使他不久就恢復了常態。

他說道：「他當然可以在任何一家銀行裡存款。你的話讓人聽了很感興趣，但是莫理亞提和這發生的罪案是否眞有關係？可以從你得到的卜羅克報告，確定這事嗎？」

「我們不妨推測那謀殺案的動機。這件事眞的很奇怪，但依我的猜想，大概有兩個原因：第一，我告訴你，莫理亞提對於他手下的黨徒非常嚴厲，令出必行，假使有違背他的，立刻處死。所以這被害的道格拉斯或許也是黨徒之一，因爲他想洩漏他們的陰謀，不料卻被黨中人知道了，向莫理亞提告發。莫理亞提爲了守持他的祕密，就把他殺了。」「福爾摩斯先生，這是一種說法。」

「第二個原因，大概莫理亞提知道道格拉斯很有錢，所以去謀財害命。那裡可有什麼損失？」「我還不曾聽到。」

「假使是這樣，那麼，第一個原因還算吻合。但或者還有第三個原因，我們現在先到勃耳司冬去看了再說。他雖然狡猾，但總有痕跡可尋的。」

麥克．唐納從椅上跳起來道：「那麼，我們可以到勃耳司冬去了。時候不早，請你們用五分鐘的時間準備，快快快！」

福爾摩斯道：「我們可以同去。麥克先生在途中可把這事詳細告訴我。」他遂換去了睡衣，披上外衣，催我一齊動身。

我們在車上時，麥克便把這事約略講給我們聽。案情相當的複雜，但線索少得有些讓人失望。但假使仔細搜尋，未嘗沒有端倪可尋。

我們在車上時，麥克便把這事約略講給我們聽。

福爾摩斯凝神傾聽。他削瘦的兩頰透著淺紅色，目光炯炯，靠著車壁，雙手不時地揉搓，骨節也格格作響，他心中的快樂，不自覺地顯露出來。因爲我的朋友原是好動惡靜，很喜歡研究奇怪的案件。前兩個星期他終日枯坐沒有事做，十分沉悶，現在遇到了這件奇案，頓時精神百倍。麥克把他友人威特．梅森寄給他的信取出來。梅森是蘇薩克斯地方的警長，得到消息比較早，麥克把他的信朗讀出來：

「麥克．唐納警長，這信是我個人通知你的，想必官方已另有公文送到你那兒了。請你打電報告知我你坐第幾班車到勃耳司冬來，以便我可以迎候。這次案情曲折難明，請你快快前來，不要誤時。但假使能和福爾摩斯先生一同前來，他必然能夠用他的巧智，來搜索此案的起由，因爲這事實在奇祕不可測度。」

福爾摩斯聽了，說道：「你的朋友並不愚笨嘛？」「本來就不，威特．梅林——我敢說他是很靈敏的。」「還有什麼事情？」「我們假使見到他，他一定能把詳情告訴我們。」「那麼，你是怎樣知道道格拉斯被人慘殺的呢？」

「是官方公文的報告上說的。公文上並沒說出慘殺，只說死者是約翰．道格拉斯，被人用獵槍擊傷頭部而死，案發的時間是在前天半夜。照死者的情形，一定是被人謀殺，但兇徒還沒有緝獲，案情非常複雜。福爾摩斯先生，這就是我們所知道的了。」

「麥克先生，你如果同意，我們談話就到此暫停了。光靠著不充足的事實去做出判斷，是枉費心思；偵探界的人切勿犯了這個毛病。現在我只明白兩件事情，一是在倫敦的一個非常人物，一是在蘇薩克斯的死者。而我們便是要去追查這兩端相連的線索。」

第三章　勃耳司冬的慘劇

在我們到勃耳司冬以前，我要把我們的事暫時擱著，先把勃耳司冬的歷史和這件案情，報告給讀者知道，以便讀者可以更清楚瞭解這件事。

勃耳司冬的房屋，大半是半磚半木的房子，是蘇薩克斯北部的一個小村落。風俗淳厚，幾百年來守舊不變。村中林木繁盛，緊接惠爾特森林，綠蔭蔽日，古木參天，風景十分幽雅。但近年來，外地人因愛慕勃耳司冬的風景，漸漸地遷居過來，萬綠叢中，有矗出的渠渠夏屋，都是些富家人的古堡。因爲居民日多，有許多商店也就開設林立。所以勃耳司冬漸從以往的鄉村，變成繁盛的市鎮，和離村十哩多的湯白利琦鎮不相上下了。

離村半哩多，有一所古堡，古堡中有高大的榆樹，在村中很著名，那便是勃耳司冬古堡。古堡的建築年代是在第一次十字軍東征的時代。當時大將軍黑戈・開普司立了戰績，英王賜給他這塊地方，建築城堡。但在一五四三年，這古堡忽遇火災，宏麗的建築都變成焦土。但基石卻仍舊留著，直至英王詹姆斯一世及二世時代之間，才又有人在這遺址上改造古堡，然基柱都用舊的石料，和以前的狀況大略相像。古堡的四周，本有裡外兩道護城河。外面的護城河自從堡燬之後，變成乾涸無用，成了種菜蔬的地方。內河仍舊有水，有四十呎寬，現在水已漸淺，環繞著古堡，與一條小河匯流，河水雖淺，卻有點渾濁。古堡最下層的窗口，離開水面約有一呎的距離，護城河上有一座小橋通到堡裡，以前是吊橋可以昇落，但因年代久遠，轆轤鐵鍊等都已經壞了。後來這古堡的主人仍把它修理好，和舊時一樣能夠升降。並且每晚都把橋拉起，到早上方才落下。在橋拉起之後，這古堡就如同孤島一般，和外面交通斷絕。因此倫敦的偵探，認爲它是案中重要的關鍵，十分注意這座橋。

這屋子已有好多年沒有人住了。當道格拉斯得屋的時候，已有荒廢的景象。經他出資，才修理一新。他的家庭由兩個人組成，就是約翰·道格拉斯和他的夫人。道格拉斯是個很奇特的人，年齡約五十歲，身體強健，面容黝黑，目光銳利，頷下多髯，勇敢的神情，和年輕人一樣靈敏有力。他待人很和氣，但有時也會失禮。所以人家揣測他也許出身微寒，生長在比蘇薩克斯還要落後的地方。但鄰近的村人都喜和他交往，他漸漸得到衆人的歡迎。每逢村裡有宴會，他都熱情參與，常會有人請他唱歌或與衆人和聲。他有很多資財，村人傳說那是他從加利福尼亞州採金得來的。他的妻子也說，道格拉斯以前曾在美洲住過好多年。因他慷慨好義，從不顯出有錢的傲態，所以人家對他也都留下很好的印象。他又常常救人急難，並不像別的富人一樣淡漠。前次村中失火，消防隊都束手不敢趨救，但道格拉斯卻獨自一人冒險到火窟中去救援。因此道格拉斯雖居住不過五年，但他的好聲譽已傳遍勃耳司冬了。

道格拉斯太太也有些人和她熟識。但英國人的習慣是，男女之間除非有人介紹，不能冒然做朋友的，因此她的交遊很少。她卻很能安分管理家務，服侍丈夫。她本住在倫敦，後來遇見道格拉斯，那時道格拉斯死了妻子，正鰥居中。她是一個很美麗的婦人，身材修長，比她的丈夫約年輕二十歲，這點似乎相差太遠，有些不合。但兩人卻不顧一切地結婚了。有人說他們兩人的愛情也不能算十分完美；道格拉斯太太對她丈夫的行爲，似乎不十分明瞭，並且每次道格拉斯只要晚一點回家，她就會露出憂悶的樣子。在鄉村地方，村人多愛講閒話，所以這事發生後，大家都竊竊地談論起來。

還有一個人，常住在古堡中，在慘案發生的夜裡，他恰好在那裡，因此人家都會講到他。這人名叫西錫兒．詹姆斯．白克，是海普斯底特人。村人常見他出入古堡，是道格拉斯的老友。他們在道格拉斯沒到勃耳司冬前就認識了。白克是英國人，據他自己說，他初識道格拉斯的時候是在美洲。兩人的情誼甚篤，他似乎也擁有許多金錢，但還沒有娶妻。他比道格拉斯年輕些，四十歲上下，最多四十五歲。很高，身材魁梧，眉毛濃厚，鬚髮匀整，目光有威，使人見了生畏。白克不喜歡騎馬和射獵，但常常銜著煙斗在村中散步，有時和古堡的主人駕車出遊，有時主人外出，他便和道格拉斯太太一齊散步到綠蔭深處，喁喁談話。堡中僕人安姆司曾說道：「白克先生的爲人溫和；但我卻從來不敢對他反抗過一句話。」他和道格拉斯非常親近，但他也和道格拉斯太太很親近，因此道格拉斯暗中不免有些懷疑。有時他憤嫉的心情不自覺在臉上顯露——僕人們常常看得出的。所以白克是這案中值得注意的一人。古堡中還有男僕安姆司和管理內務的女傭愛倫太太，也値得注意。其餘還有六個僕人，不過都和一月六號夜裡的事沒有關係。

這可怕的消息，在夜裡十一點四十五分已傳到蘇薩克斯警官威爾遜那裡。報警的人便是西錫兒．白克。他形色驚惶，跑到警署門前猛擊警鐘，說古堡中發生了可怕的慘劇，約翰．道格拉斯先生已被人謀害。警官威爾遜大駭，立即狂奔回去。他匆匆報警以後，連忙通知了本地的長官，自己也到古堡裡去察看。當時已十二點多。

他到了古堡前，見古堡中的吊橋已放下來，窗中燈光盡明，屋中有驚亂的景象，許多僕人都面色慘白，聚集在廳中，安姆司搓著雙手，站在門邊，露出很驚恐的模樣，只有白克態度尚鎮靜，開了門引威爾遜進去。那時醫生夏德也趕到，夏德在村中是一個很有名的醫生。三個人走進了室中，安姆司仍帶著驚容，跟在後面，他把門關上，不讓那些女僕們看見這可怕的景象。

死者仰臥在地上，陳屍在屋子的中央，四肢僵直，身上穿著睡衣，外面罩著一件紫色的外褂，兩腳穿著氈製的軟鞋，但沒有穿襪。死者傷勢嚴重，已無法救治。胸前橫著一枝獵槍，槍管很短，前半部已截去一呎多，這是預備近射的緣故，當時射擊力應該很猛，大概雙管齊發，所以死者頭顱碎裂，已血肉模糊了。

死者仰臥在地上，四肢僵直。

警官威爾遜見了這種狀況，覺得案情重

大，很難獨當重任。

他看著這可怕的頭顱，低聲說道：「這事情很嚴重，我們不能移動他，待長官到了再說。」

西錫兒・白克答道：「現在屋中的狀態，全部都沒有動過，和我初次發現時一般。」

威爾遜取出他的筆記簿來，邊問邊記道：

「這事在什麼時候發生的？」

「當時恰好十一點鐘，我還沒有就寢，獨坐在臥室爐火邊取暖。隱隱約約忽然聽見槍聲，我立即奔下樓來。等我到了那邊——其間的相隔，大約還不到半分鐘的工夫。」

「當時室門開著嗎？」「是的，門正開著，可憐的道格拉斯僵臥在地上，和現在你所見的一樣。桌上的燭火仍舊點著，但昏暗不亮，我遂把燈點上。」

「你沒有看見任何人嗎？」「我沒看見任何人影。之後我聽見道格拉斯太太的腳步聲，從樓上走下，在我後面跑來。我忙轉身過去，把她攔住，不讓她看見這室中可怕的景象。管家婦愛倫太太也已走來，便扶著女主人離去。接著安姆司也來了，我們又再次走到屋裡。」

「我聽說古堡外的吊橋，每夜會拉起的。是不是？」

「正是，這橋在夜裡一定拉起，我出去報警時方才放下。」

「那麼，兇手可以從那裡逃走呢？這是一個疑問。道格拉斯先生一定是自殺了。」

「我起初也是這樣想，但你看！」白克把窗簾掀起，指著那玻璃的長窗，豁然洞開，窗檻上有血痕，形狀似乎是腳跟的印跡。他就又道：「也許有人從這裡逃走了。」

「你認爲有人游水逃過護城河？」「是的。」

「那麼，從你聽見槍聲走到室中，既然不過半分鐘的光景，那時候，那人必然仍在水裡，來不及逃走的。」

「我當時並沒有想到。我雖然跑到窗邊，但窗簾卻放下，所以沒有看見。我又聽見道格拉斯太太的腳步聲，急忙出去攔住她，因爲這可怕的慘狀，絕對不能讓她親眼目睹的。」

那醫生看著死者粉碎的頭顱，說道：「實在可怕。自從上次勃耳司冬火車事故之後，我還沒見過這種可怕的景象。」

威爾遜的注意力卻似在洞開的窗戶。他說道：「你認爲兇徒從護城河涉水逃走，這或許是對的，但我要問你，橋既已拉起，這人怎麼走進古堡來的呢？」白克道：「那是一個疑問了。」「這吊橋在什麼時候拉起的？」安姆司答道：「在將近六點鐘的時候。」

威爾遜道：「我聽說這橋拉起的時間，是在夕陽西斜的時候。照現在的天時，日落的時候應在四點半鐘，怎麼會到六點鐘呢？」

安姆司道：「道格拉斯太太正舉辦茶會，所以等到客人散盡，我才把橋吊起的。」

威爾遜道：「這樣說來，那兇手若是外來的人，必然在六點鐘以前掩進古堡中，預先伏匿在隱祕的地方，直到十一點鐘，道格拉斯先生進了屋中，才遭他的毒手的。」

「是的。道格拉斯先生在每夜臨睡前，必先巡視古堡，察看火燭。這是我的假設，因爲除此以外，沒有較合理的解釋了。」

威爾遜從死屍身邊拾起一張名片，上有兩個大寫字V.V，反面又有鋼筆寫的341號數，字體很是潦草。他拿起來問道：「這是什麼？」

白克看了，也很覺驚奇，道：「我還不曾

見過，這一定是兇手留下來的。」

「V.V.341，我不明白這些作什麼解釋？」威爾遜把名片翻過來。「V.V.是什麼？大概是人名的縮寫了。夏德醫生，你那邊有什麼線索？」

這時夏德在爐邊的地毯上，俯身拾起一柄鐵鎚，很堅固，像是工人用的。西錫兒・白克指著火爐上的一個銅釘匣子。

他道：「昨夜道格拉斯先生曾換過掛畫。我見他站在椅子上，用這鐵鎚把那幅大畫釘上去。」

威爾遜腦中更覺迷惘了，他以手搔著頭，說道：「我們最好把它放在原處。這事非頭腦靈敏的人不能察見底蘊，需要倫敦的名偵探前來協助了。」

他遂掌著燈，慢慢地在室中走著。他忽然拉開窗簾，很驚奇地問道：「咦！這窗簾在什麼時候放下來的呢？」

僕人安姆司答道：「在四點鐘點上燈的時候。」

威爾遜將燭火照到下面，見有泥痕的靴印，很清楚地印在窗隅的地板上。便道：「白克先生，我敢說你的假設成立了，這兇手一定在窗簾放下，吊橋沒有吊起的時候，潛入古堡中，那時大約是在四點到六點之間。他先看見這屋子，所以急忙掩進，藏身在窗簾的後面；這是很明白的。他來只不過想偷些室中的財貨，但是道格拉斯先生恰巧走進室裡，遇見了他，他遂把道格拉斯先生殺死了然後逃走。」

白克道：「我想也是這樣。但是我們光是耗在這兒，豈非空費可貴的光陰？我們何不趁兇手沒有走遠的時候，到村裡去搜尋搜尋呢？」

威爾遜想了一下，說道：「在早晨六點鐘以前，沒有火車開駛，他絕無法坐車逃走。假使他步行逃遁，那麼，他全身濕透，必會引起人家的注意，他也決不能遠遁的。無論如何，我不能離開此地，必須有人來換班，我才可走開。但我想你們在這事沒有查清以前，也不便走開的。」

夏德醫生拿著燈，細細察看屍體，問道：「這是什麼記號？和案情可有關係？」

死屍的右手捲起了袖子，直到肘旁。在臂上露出一個特異的深紫色記號，外廓是圓形，裡面是一個等邊的三角形，像◬形，和死者灰白的膚色相映，很是明顯。

夏德又以顯微鏡照看死屍，說道：「我沒有見過這種記號，這記號並不是針刺的。大約烙了好多年，和牲畜上的烙印一般。但這是什麼用意呢？」

西錫兒．白克道：「我也不明白。但我見這印在道格拉斯的臂上已有十年了。」

安姆司道：「我也見過不少次。主人捲起衣袖時，總可見這個記號。我也常納悶，不知道有什麼意義？」

威爾遜道：「那麼，這就和案情沒有什麼關係了，大概是古時傳下的一種風俗。你到底怎麼回事？」

安姆司忽然驚呼，指著死者露出的手，喊道：「他們一定把他的結婚戒指取走了。」「什麼？」「眞的，我主人都把他的結婚金戒指，套在他左手的小指上。另有一隻鑲金戒指，加在上面。第三指上，還戴著一隻蛇盤形的戒指，現在只有蛇盤形和鑲金的留著，結婚戒指卻沒有了。」白克道：「他說的沒錯。」

威爾遜道：「你肯定結婚戒指在另一隻戒指的下面？」「常常看見的。」「那麼，這兇手一定先把鑲金的戒指脫下，然後取走了結婚戒指，再把鑲金戒指套上的。」「不錯。」

這村中著名的警長卻搖起頭來，道：「我看這案情很曲折，最好快點交給倫敦總部去辦。威特・梅森是很有才幹的人，他不久便要前來。恐怕他對這件離奇的案子，也要覺得棘手，不如就交給倫敦總部去偵探的好。」

第四章　黑暗中

這夜三點鐘時，蘇薩克斯警長威特·梅森因接到了勃耳司冬威爾遜的報告，立即坐著車子趕來，再利用第一班五點四十五分的火車，把報告送到蘇格蘭場警場。十二點鐘時，他已在勃耳司冬車站等候我們了。威特·梅森先生外貌很文靜，穿著寬鬆的外褂。臉色微紅，鬚髮修得很整齊。他身體強健，腿上裹著軟布，好似鄉間的農夫，又像是退休的獵人，絲毫看不出他是官方偵探。

他道：「麥克·唐納，這事實在奇怪。現在雖略加偵查，還是沒有什麼發現。不過有福爾摩斯先生和華生醫生前來相助，一定有所進展的。現在你們的住所，我已預備在村邊一個小旅館中，那裡還算清潔，因爲沒有別的更好的地方了。僕人代你們拿了行李，你們可以隨我過來。」

他是一個很和氣的人。走了十分鐘，已到了寓中，我們在裡面坐下來休息。後來就談到這件事，梅森把案情一一向我們細告，那就是我前章中所敍述的事情了。麥克取出紙筆來記錄，福爾摩斯則坐著靜聽，露出專注的樣子。好像植物學家，採得新奇的花草，正在細細玩賞。

梅森把這事講罷，福爾摩斯便道：「奇怪！這案子實在奇特！我記不得以前有什麼比這更奇怪的案子了。」

威特·梅森大喜道：「我早料到你也會這樣說的。我在昨夜接到威爾遜的報告，便知道案情離奇，就連夜趕來。威爾遜把這事告訴了我，我更覺得迷惑不解。我思索了好久，也沒有什麼頭緒。」福爾摩斯很急切地問道：「得到了些什麼？」

「我進去時，先查驗那鐵鎚。醫生夏德也在旁相助，我們在鎚上尋不出什麼行兇的痕跡。我懷疑那是道格拉斯先生用來保護自己的，但照理當有印痕可見，現在卻沒有發現。」

麥克道：「這也不能斷定。因爲兇器未必都會留下痕跡的。」

「說得沒錯，這原不能證明他有沒有用過。但卻是有留下痕跡的可能，假使如此，那就可以幫助我們了。不過現在卻沒有痕跡。我又察看那把槍，那是一柄雙管的獵槍，和威爾遜所說的無異。開槍時雙彈齊出，所以殺傷力非常強。不論是誰，用這槍來擊人，一定可以致人死命。這槍兩呎長，槍管已截去一半，可以藏在袖底。雖沒有製槍者的全名，但上面還有PEN三個字母留著。」

福爾摩斯問道：「P字大寫，而EN是小寫？」「正是。」

福爾摩斯道：「賓士法尼亞(Pennsylvania)製造廠，在美國是有名的槍械工廠。」

梅森聽我朋友一語道破，不覺緊瞧著他，不勝驚異。

「福爾摩斯先生，這是很有用的。你說的一點也不錯。奇怪！奇怪！世上那麼多製造廠的名號，難道你都能記得？」

福爾摩斯聳肩不答，他似乎不喜歡聽這種讚美的話。

威特．梅森繼續說道：「這枝槍的確是美國式的獵槍。我以前在某本書上曾見過這種獵槍，假使把長管去掉，便可用來作殺人的利器。依此推想，那兇手一定是個美洲人了。」

麥克・唐納搖頭說：「朋友，你想得太遠了。我聽說古堡中並沒有外來的人。」

「窗檻上的血跡、奇怪的名片、牆角的腳印以及槍，是從什麼地方來的呢？」

「這些都可以僞造。道格拉斯先生是美國人，而且也久居在美洲。白克先生也是美洲人，所以你又何必從外人著想呢。」「那個男僕，總管安姆司……」「他怎麼？靠得住嗎？」

「他以前在查爾斯・開杜斯勳爵處當下人將近十年左右，十分可靠。後來他到古堡中來，在道格拉斯先生家服務也有五年了。他從不曾在古堡裡見過這種槍的。」

「這槍已截短了，隨便什麼地方都可以安藏。他怎能說古堡中一定沒有這種槍呢？」「無論如何，他從不曾瞧見過。」

麥克搖著頭，抗議說道：「你以爲這槍不是室中的物件，便懷疑兇徒是外來的人；如此實大悖常情，我萬萬不敢贊同。福爾摩斯先生，請你評評我們兩人，那一個是對的。」他說時，聲音高亢，還夾雜著濃厚的蘇格蘭腔。

福爾摩斯遂帶著一種法官的威嚴，說道：「麥克先生，試把你的理由陳說出來。」

「那兇手決不是來盜竊，想必另有宿怨，因爲偷去結婚戒指，和留下奇怪的名片，都說明其中必另有祕密。如要假設他不是外來的人，理由很容易解釋。倘使有人想要潛進古堡來謀刺，而這古堡四周都是水，出路很不容易，他會選擇什麼樣的凶器呢？當然要挑最簡便而沒有聲響的凶器，才可在事發以後跨窗涉水而逃。這是很容易理解的事情，但現在卻不是這樣，反帶著響聲很大的獵槍。槍聲一發，古堡中的人們，一定立刻奔聚。那麼，兇手還能安然逃走嗎？福爾摩斯先生，這事能相信嗎？」

我的朋友想了一想，回答道：「你說的很對。像這種繁複的案件，斷不能用一句話來解決的。並且我現在還沒有去查勘，不敢就下斷語。請問梅森先生，你可曾到護城河對岸去查過？有兇手從水裡爬上岸來的跡象嗎？」

「福爾摩斯先生，沒有任何跡象。對岸是堅石砌成的，很難尋察出蹤跡的。」

「都沒有足跡嗎？」「沒有。」「威特・梅森先生，可否允許我們立刻到古堡中去？那邊一定有一些線索可尋的。」

「福爾摩斯先生，我正要請你們前去。但在動身以前，我想最好先把詳情奉告清楚，我恐……」威特・梅森說到這裡，吞吞吐吐，似乎有話不便出口。

麥克・唐納便道：「我曾和福爾摩斯先生共事過，他是拿偵探當娛樂的人，並不想奪人的功勞。」

福爾摩斯也微笑道：「我喜歡探索，是把它當做遊戲，既不是爲名，也不是爲利。我曾幫助警署中人緝獲兇手，從沒有奪過人的功勞。就算有人毀謗我，也是他們自己的成見，與我無關的。威特・梅森先生，我只求辦事的時候任我自由，不要來牽掣我，讓我一人慢慢完成。」

梅森遂很懇切地說道：「得到先生來幫助，實在是很榮幸的事。華生醫生，我們一同走吧。我希望此案破時，大作中能把我們的姓名列入，那便是大幸了。」

我們沿著小徑向古堡走去。小徑是以細石

砌成，非常光潔。小徑的兩旁都是榆樹。徑的盡頭有一對石柱，巍然對立。柱色蒼綠，上面滿生著苔蘚，年代已很久遠。柱頂做成獅子的形狀，藤蔓糾纏，已辨認不清。轉過柱後，但見叢叢的古樹，景色更是幽蒨，穿過了樹林，便是那詹姆斯一世時代的古堡了。古堡的磚色黝黑而古舊，裡面又有老式的園林。我們走近前去，見堡前橫架著一座木橋，下面有寬闊的護城河；河水澄清，映著日光，很是幽麗。渡過木橋，就到古堡之前，那裡的牆垣很高，苔紋很多，似乎告訴人們，這古堡已建了三百年。堡中人的興亡故事、悲歡離合，只有這牆還能知其詳。牆裡屋頂高矗，配著陰森沉黑的窗戶，我覺得在這個地方發生慘案，實在是最適合的了。

威特・梅森道：「在橋邊的那扇窗，自從昨夜案發後，便一直開著。」「這窗很狹窄，似乎不易讓人走過。」「我想這個人一定不胖。福爾摩斯先生，你和我的身材都可以走過的。」

福爾摩斯走到護城河邊，細察河岸的石砌，和石邊的草跡。

威特・梅森道：「福爾摩斯先生，這裡我已詳細察驗過，沒有什麼人登岸的跡象。那人既能下這毒手，心機也很巧密，豈肯留下形跡的呢？」

「不錯，他怎肯留下形跡呢？但這近岸的水，可是常常都這麼污濁？」

「時常是這個顏色的，因爲河水流下的時候，常帶有泥渣的。」

「河有多深？」「傍岸處大約有二呎深，但河的中央應當有三呎深了。」

「這樣，我們可以不必懷疑那個人在渡過

護城河時會溺死在河中。」「不，就是小孩也不會沉死的。」

我們走過吊橋，便見有一個面容枯槁的老人出來迎接，那就是總管安姆司。他受到驚悸，臉色還帶著灰白，心神也沒有恢復。走進室裡，只見警官威爾遜仍守在死屍邊。他身材高大，但是精神已有些疲乏。不過醫生卻已走了。

威特・梅森問道：「威爾遜警官，可有什麼新發現的事情嗎？」「先生，沒有。」

「那麼，你回去吧，你已很疲憊，可以稍去休息了。假使有需要你的地方，當即相召。安姆司，現在請你守在門外，並請傳話給西錫兒・白克先生、道格拉斯太太和女傭愛倫等，待會兒我們有話要問。現在在你們沒有查察以前，我會把我所想的告訴你們，大家研究研究。然後你們不妨自己去推求。」

他的話很吸引我，他對於推想案情，有冷靜的頭腦。福爾摩斯似乎也很願意聽他說話，並不表示反對。

梅森道：「我現在第一個問題，便是要知道死者是自殺？還是被殺？諸位想是不是？假使他是自殺，必然在未動手的時候，先把他的結婚戒指藏去，還故意把泥靴印，印在窗檻上，使人生疑，最後再把窗開了，塗血在……」

麥克道：「絕沒有這種事的。我們不必懷疑這一層。」

「我也如此想。自殺既不成立，那麼，這人必是被殺了。我們所要解決的，便是兇手是外邊人，還是在古堡中的人呢？」「很好，讓我們聽聽你的推解。」

「這問題很麻煩，兩者都不容易決斷。我們試先假設是古堡中的人，那麼，那個人必在夜深人靜以後，潛進房裡，用古堡中人從沒有見過的獵槍來謀殺死者。並且有意放出響聲，使古堡中人驚覺，疑心是外人做的。但這個理由似乎也不是很充足？」「不，不會。」

「大家都說在槍聲後，至多不過一分鐘，然都已齊集。白克先生自己承認是最先到的，然而安姆司和其餘的人也都陸續趕來。在這一分鐘裡，那兇手怎來得及印腳印，開窗，留名片，和取下死者的結婚戒指等等，那是決不可能的。」

福爾摩斯道：「你說的很透徹，我很贊同。「那麼，我們不得不推疑到外來的人了，但仍是不易斷定。現在我試著說明我的想法。那兇手進入古堡的時間，應在四點半到六點鐘之間。那時道格拉斯太太正在宴客，吊橋沒有拉起，古堡中的人也很忙，所以兇手能乘間偷溜進來。至於他來的目的，是存心想要盜竊，或是和道格拉斯先生有什麼私仇，都很難說。但因道格拉斯先生曾久住美洲，而這獵槍又是美國的製品，依情理推解，或者是有什麼人前來復仇也未可知。那人進入了古堡，因這書室最近，他就隱身室中，以窗簾遮蔽躲藏。直到十一點鐘後，道格拉斯先生方才入室，他遂出來和他談判。不過沒有多久——因爲道格拉斯太太說，她丈夫離開她不到幾分鐘——便聽見槍聲了。」

福爾摩斯道：「從點燃的蠟燭，也可推知此點。」

梅森繼續道：「不錯，這蠟燭燃燒不到一吋。在白克先生進來的時候，那蠟燭還在桌上，可知兇徒開槍定在道格拉斯先生放蠟燭之後。那人先和他談判，然後才下手謀殺的。否則假使在道格拉斯入室的時候便行偷襲，那麼人既倒地，手中的蠟燭也自然要跌熄了。這可證明兇徒並不是立刻下手的。白克先生入室後，才把蠟燭熄滅，將燈點上。」「一點也不錯。」

「現在我們不妨照此推想當時的情形。道格拉斯先生走進室中，把蠟燭放桌上。那時忽有一人從簾後走出，手裡拿著槍，向他索取結婚戒指。——至於爲什麼緣故，只有上天知道了，我們卻不能明白。道格拉斯先生便取下給了他，後來兩人爭論起來。道格拉斯可能是取鐵鎚向他擲擊，那人遂開槍把他射死，然後又丟了槍跨窗逃遁，卻又遺下了那張奇怪的名片V. V. 341，但我們還不知道名片上的字有什麼意思。接著，他又涉水過護城河，這時西錫兒·白克恰好發現這慘案。福爾摩斯先生，你以爲如何？」

「你說的很有趣，但還有一些不夠明白的地方。」

麥克·唐納插口道：「我認爲這些話都不近情理，絕對不是事實。那兇手既想逃走，爲什麼要用這響聲很大的槍去驚動衆人呢？靜靜地逃走，不好嗎？福爾摩斯先生，你既也說還有不明白的地方，要請你指點我們了。」

福爾摩斯本靜坐著聽他們的談話，一字不漏的留心著。他額上攢聚著皺紋，雙目不停地向左右流轉。

他俯下身去，在屍旁觀察，說道：「麥克先生，我現在還要搜尋些事實來作證據，不能妄下斷語啊！他的傷實在是很嚴重。我們現在可要喚安姆司進來？……安姆司，你家主人手臂上的奇異記號，你可常見？」「先生，是常見到。」

他又問安姆司道：「你知道這記號的意思嗎？」

他又問安姆司道：「你知道這記號的意思嗎？」

「先生，我不知道。」

「這印是火烙的，烙的時候必然會受一番痛苦。安姆司，現在我發現有一個很小的藥膏，貼在道格拉斯先生的嘴邊。他活著的時候，你可曾看見呢？」

「是的，他在昨天早上刮鬍子時被剃刀割傷的。」

「以前你常見你的主人刮鬍子時有割傷的情形嗎？」「先生，那倒不常見。」

福爾摩斯道：「這倒值得研究了。他好像預先知道將有禍殃降臨，所以舉止也反常了。安姆司，昨天你可見主人有什麼反常的舉動呢？」

「先生。我現在想起來了。他昨天很忙，似乎心緒不寧，並帶著驚恐。」

「我們所推論的，是不是已有些進步了。麥克先生，你的意思如何？」「福爾摩斯先生，到底還是你經驗豐富。」

「那麼，我們接著研究這名片V.V. 341。這是一張粗糙的紙片，你可曾見過室中有同樣的名片？」「我沒有見過。」

福爾摩斯走到寫字檯邊，從每個墨水瓶裡沾些墨水，灑在吸水紙上。說道：「這名片並不是在房裡寫的。這裡的墨水都是黑色的，名片上的卻是紫色，並且是用方的筆頭寫的，案上的筆頭多是尖細的，這一定是在別處寫的。

安姆司，你對於名片中的字義，能解釋嗎？」
「不，先生我不明白。」
「麥克先生，你的意思如何？」「我想這是一種祕密黨會的暗號，和臂上火烙的印一樣。」威特・梅森也道：「我的想法也是這樣。」
福爾摩斯又道：「我們可以就此推想，那黨會中的某人，先潛進了古堡，等道格拉斯前來，遂以槍射擊他的頭顱，然後渡護城河而逃。他之所以要在死屍旁邊留下名片，無非要藉報紙代他宣傳，告訴黨人仇已報了。這都是可以想像的。但是他爲什麼偏偏用這種響聲大的槍呢？」「是啊！」「還有戒指丟失，是什麼意思呢？」「是啊！」
「現在已經兩點多了，爲什麼沒有兇手被捕呢？周村四十哩地方的警察，從天亮到現在，難道都沒有看見穿濕衣服的人嗎？」
「福爾摩斯先生，這話正是，我也是十分著急。」
「除非他有巢穴在附近可以藏匿，或是他先帶好衣服，已把濕衣換下，要不然他們不會放過他的。但現在他們始終不曾捕獲什麼人啊！」福爾摩斯此時走到窗前，取出一面放大

福爾摩斯走到窗前，查看檻上的血跡。

鏡，察看檻上的血跡。他又說道：「這的確是腳印，寬而平整。奇怪！這室隅的泥印，卻模

糊不清，一時比較不出。在這桌子下的是什麼東西啊？」安姆司道：「道格拉斯先生的啞鈴。」

「啞鈴——那邊只有一個，還有另一個啞鈴在那裡呢？」

「福爾摩斯先生，這個我就不知道。我已好多個月不曾注意這東西了。」

福爾摩斯很沉重地說道：「一個啞鈴……」但他的話，卻被一陣急促的敲門聲打斷。門開後，有一個高大黝黑，臉刮得很乾淨的人進來。我一見他的外貌，不難猜知他就是西錫兒·白克。他炯炯的目光，很傲慢地向衆人臉上瞧著。

他說道：「請恕我突然前來，打斷你們的談話，但你們可聽說最新的消息了。」

「可是捕獲兇手了？」「那裡有這種好運！但他們已尋獲那人騎的腳踏車了。那人把車子拋下。請你們同我去看看，就在離開古堡一百碼的地方。」

我們走到那裡，見有幾個人正聚集著。腳踏車是藏在亂草中的，現在已取了來，車旁還有許多亂葉。這車是羅琪廠製造的，非常堅美，輪上濺著不少泥痕，似乎騎過相當遠的路。車墊後面，掛著一個小皮袋，袋裡有些油壺、螺鉗等東西，但沒有車主的姓名。

麥克說道：「假使羅琪廠裡能把購車人的姓名和車的編號一一記下，對我們就大有幫助了。如果我們能得到這些，眞是感激不盡，因爲我們雖不知道兇手到那裡去，但他從什麼地方來的，我們就可查究了。但他爲什麼要拋棄車子呢？難道步行反比車行來得快？福爾摩斯先生，我們似乎還沒得到一絲線索啊！」

我友沉思著答道：「果眞是這樣嗎？那我倒覺得奇怪了！」

第五章　劇中的人物

我們走進屋裡時，威特·梅森問道：「你們在這書房中的搜查都結束了嗎？」

麥克答道：「現在可算完成了。」福爾摩斯也點了點頭。

「你們願意聽聽古堡中人的證詞嗎？安姆司，我們想借餐室坐一坐，請你先引我們進去，把你知道的事情告訴我們。」

安姆司的話很簡潔，而且態度很誠懇。他說他到此受雇做僕人，還是在五年前道格拉斯先生初到勃耳司冬的時候，他只知道格拉斯先生是一個很有錢的人，是在美洲致富的。他待人很和氣，膽識過人，從沒露出害怕的樣子。至於他所以每夜必吩咐人把吊橋拉起，是因他喜歡沿襲古堡中的舊習慣。道格拉斯先生難得離開村子，也難得到倫敦去。但是在被害的前一天，他曾到湯白利琦買過東西。就在這天忽見他神情躁急，有些驚恐，一反往常。案發的那夜，安姆司還沒有睡，正在餐具室中收拾用過的銀器，忽聽見鈴聲大響。但沒有聽見槍聲，因爲廚房和餐具室在古堡的後邊，距離很遠，其間還隔著幾重門戶，和一條很長的走廊。此時愛倫太太也因聽見劇烈的鈴聲，急忙奔出，遂一齊奔到前室。在樓底下，見道格拉斯太太走下扶梯。她並沒有急走，也沒有驚惶的神色。正在這時，白克先生忽然從書房裡衝出來，極力阻止道格拉斯太太，不讓她走進室去。

「他喊道：『天啊！你快回到你的房裡去吧！可憐的約翰死了！你也無能爲力的。天啊！你回去吧！』」

白克喊道：「你快回到你的房裡去吧！可憐的約翰死了！」

他勸說了好幾次，道格拉斯太太就回到樓上去，她並沒有悲慟的樣子。那時愛倫太太就伴著她的女主人上樓，一起回到寢室。安姆司和白克先生走到書房裡，所見室中諸物的情狀和後來警官們所見相同。但燭光已滅，已點著了燈。他們從窗裡望到外面，那時是黑夜，什麼也看不見，也聽不到有什麼聲息。於是他們奔到門口，安姆司把吊橋放下，白克先生立即奔出去報警。

這是總管安姆司所說的證詞。

愛倫太太的話，可佐證安姆司的話。愛倫太太的臥房，離前屋近些。那夜愛倫正要睡時，忽聽見鈴聲大響，使她很驚愕。她略有重聽，所以聽不到槍聲。但在鈴聲未大作的半小時前，似乎聽見一種像關門的聲音。當她聽見鈴聲的時候，走出室來，遇見安姆司，便一同跑到外邊，見白克先生面色蒼白，帶著驚恐，從書室裡奔出。他一見道格拉斯太太下樓，忙上前阻止，勸她回去。她答應他，但她說什麼話，卻沒有聽清楚。

白克曾對愛倫說道：「扶她上去，陪著太太。」

她就扶女主人上樓，並不斷安慰她。道格拉斯太太因受了驚恐，不停地顫抖，但也不想下樓去。她穿著睡衣，坐在室中火爐旁，兩手扶著頭，似乎非常悲痛。這夜愛倫太太就和她的女主人守在樓上。至於其餘的僕人都已睡了，不曾被驚醒，直到警察前來，他們方才知道出事了。他們都住在古堡中最後面的地方，所以無法聽到什麼聲音。他們到了前邊來之後，也不過驚奇和議論紛紛罷了。

西錫兒・白克先生接著愛倫的後面說，依他個人的想法，深信兇手必是從窗子逃走的，檻上的血跡，尤其是一個明證，並且吊橋已下，也沒有別條路可以逃走，但他仍不能解釋，兇手爲什麼要拋棄腳踏車逃遁，但他決不會溺死在水中，因護城河中的水，僅比三呎深一點。

白克先生對於這次謀殺案，有一種明確的看法。道格拉斯有許多過去的事情，從來不曾告訴過人。他從愛爾蘭移居到美洲時，還是一個青年。他的機運很好，常獲大利。白克便是在加利福尼亞和他認識的。他們交情很好，就合資在朋立特開經營礦業，十分得手。不料道格拉斯先生忽變賣資產，帶了許多錢回到倫敦，那時他正鰥居。後來白克也不做了，回到了倫敦，於是他們的友誼重又和好。但他覺得道格拉斯常懷憂懼，似乎有危險將要臨到他頭上。看他突然離開加利福尼亞，移居到這種偏僻的地方，好像是防著什麼禍患。他想或許有什麼祕密黨會，一定要致道格拉斯於死地才肯干休。雖然道格拉斯不曾告訴他有什麼黨會和怎樣得罪了黨人，但他從這奇異的名片上，便可知道一定和祕密黨會有關係。

麥克・唐納因問道：「你和道格拉斯在加利福尼亞同住了幾年？」「一共五年。」「當時他是一個單身漢嗎？」「他是個鰥夫。」「你可知道他前妻的來歷？」「不知道，我只記得他說起他的前妻是個瑞典人。我曾見過她的照片，的確是一個很美麗的女子。她在我和道格拉斯先生結識的前一年，得到傷寒死了。」

「你知道他在美洲的事情嗎？」「我曾聽他講起芝加哥，他很熟悉該處的情形，似乎曾在那邊做事。我又聽他講起產煤鐵的區域，他曾到各處遊歷，所以都很熟悉的。」

「他是政治家嗎？這祕密黨會，不知可和政治有關係？」「不，他從來不留心政治的。」

「你認爲他有圖謀不法的事嗎？」「我從沒有遇見像他這樣正直的人了。」

「他在加利福尼亞州時，可有什麼奇怪處？」「他喜歡到深山中工作，不喜和人在一起，那使我開始懷疑到有人在跟蹤他，後來他突然回到歐洲，更讓我懷疑。我相信他必得到了警告，因爲在他走後一星期裡，常有許多人向我盤問他的蹤跡。」

「那些是什麼人呢？」「人數很多，我記不清了。他們想知道他在那裡，我告訴他們說，他已到歐洲去了，我也不知道他住在什麼地方。他們對他似乎有不利的舉動，這是很容易看得出的。」

「他們是美洲人，也是加利福尼亞人吧？」「我不知道，但他們都是美洲人，卻都不是礦工。我也沒有問他們的職業，因爲我很不願意和他們見面。」

「那是六年前的事嗎？」「近七年了。」

「那麼，你們一同住在加利福尼亞既有五年多的時間，所以這件事至少有十一年了，對嗎？」「是的。」

「其中一定有很深的仇恨，隔了這麼久，還不能忘掉，那決不是小事了。」

「我以爲這就是道格拉斯一生最大的隱憂，沒有一刻能安處和淡忘的。」

「但是假使一個人知道他自己將有禍患，豈有不要求警察保護的呢？」

「或許這種危險，不是警察的力量可以保護的。有一件事，你們應當知道，他身邊常常帶著手槍武裝自衛。但不幸昨夜他穿了睡衣，把手槍遺留在室中。我猜他一定以爲吊橋既已拉起，就可保無虞了。」

麥克・唐納說道：「我希望把時間弄得清楚些。道格拉斯離開加利福尼亞已有六年，你是不是在次年就隨他而來了？」「是的。」

「他再婚已有五年了。你歸來的時候必在道格拉斯結婚的那年了。」

「我回英國時，恰巧在他結婚的前一個月，我曾做他的男儐相。」

「道格拉斯太太未嫁以前，你認識她嗎？」

「不，我不認識她。我離開英國已有十年了。」

「但在結婚後，你就常常看見她了。」

白克立刻變了莊重的面容，瞧著那偵探，答道：「我是和道格拉斯先生常見面的，至於我和她見面，也勢所必要，因爲你不可能去拜望一個朋友，卻不和他的妻子相見的。倘你要猜疑其中有什麼關係……」

「白克先生，我並沒有猜疑什麼。爲了案情的緣故，每一件事都要細細地詢問，我以爲並不會冒犯你。」白克怒答道：「這幾個問題太唐突了。」

「這是我們所要研求的事情，不但是要向你問清楚，我還要再問你一句話，你和道格拉斯太太的交誼，道格拉斯先生贊成嗎？」

白克聞言，臉色立即變白，兩手反覆地搓

著，道：「你沒有權力問這些事！這事和你所探的案子，有什麼關係呢？」「我必須要問。」「我決不回答。」「你雖不回答，但從你的不答中，已答覆我了。因爲假使你沒有需要隱藏的事，也不必拒絕我了。」

白克呆站了多時，面容鎭定，眼睛向下瞧，似乎正在深思一般，接著他又抬頭微笑。

「好，我相信你們的查問也是分內的事，於理我不能不答。但請你們千萬不要再拿這事來煩擾道格拉斯太太悲痛的心才好。我的朋友道格拉斯一生的短處便是妒忌，他和我的交情非常好，他們夫婦間的感情濃厚，但是我若接近他的妻子，或和她談話，他往往非常生氣，有時竟說出不該說的話來。有幾次我爲了這事，發誓不再到古堡裡來，但他事後便後悔，寫信來自陳罪過，請我原諒，不要傷了我們彼此的感情。我知道他的性情如此，也就不以爲忤，仍到古堡裡來聚首了。總而言之，沒有人有過這種忠貞的好妻子，我敢說，也沒有人可勝過像我這樣忠誠的良友了。」

白克說時態度誠懇，但是麥克・唐納仍舊不能釋疑。

他說道：「你可知道死者的結婚戒指已被人取走了？」白克道：「這事似乎是這樣。」

「你說『似乎』，是什麼意思？你知道這不是確實的事？」

白克這時有些猶豫不決的神情，道：「我說『似乎』，因爲或者是他自己先取下的。」

「不過，事實上是這戒指不見了。不論是什麼人取走的，大家總要想到這和這慘殺案必然有關的。」

白克聳了聳他寬闊的肩膀，答道：「我不

知道，但你如果疑心到這點，將對道格拉斯太太的名譽有很大的損害。」他說時雙眼都紅了，似乎十分動怒。但隨即克制住他的憤怒，接著說：「你若這樣推想，不免要大錯特錯了。」

麥克·唐納冷冷地說道：「我現在沒有什麼事要問你了。」

歇洛克·福爾摩斯忽然問道：「還有一件小事要詢問你。當你走進書室時，眞見桌上點著一根蠟燭嗎？」「是的，是有一根蠟燭燃著。」「你是在燭光中，看到死者的慘狀嗎？」「是的。」「你就立刻拉鈴喊人來幫助你嗎？」「正是。」「他們立刻就來了嗎？」「大約在一分鐘內，便都來了。」「但他們來的時候，蠟燭已熄滅，燈已點上，這似乎有些奇怪吧？」

白克露出猶豫遲疑的神情，停了一會，他才答道：「福爾摩斯先生，我並不覺得奇怪。這燭光很暗，我想讓屋子更亮一些，恰巧這燈就在桌上，所以我就把燈點上了。」福爾摩斯道：「是你把蠟燭吹熄的嗎？」「是的。」

福爾摩斯也不再問了。白克眼神閃爍，向我們每人輪流瞧了一瞧，便走出室去。我覺得他的怒氣還沒有息呢。

麥克·唐納曾寫一張紙條，差人送給道格拉斯太太，告訴她想到她的房中一談。但她回答可在餐室中相見。她現在走進來了，她的身材修長而秀美，年紀約有三十歲，丰姿綽約，帶著尊貴的神情，使我出於意料之外。因我本猜想她必是一個妖冶兇悍的婦女，誰知不然。她面色慘白，像是受到極大驚悸的人，但態度卻很從容。她纖纖玉手撫在桌邊，用憂愁的眼神，盯著我們瞧，含有一種疑問的樣子，她後來竟突然發問道：「你們可有什麼發現呢？」

她問道：「你們可有什麼發現呢？」

這難道是我的錯覺嗎？爲什麼她發問的時候，聲音是有些恐懼且不像含有希望呢？

麥克說道：「道格拉斯太太，我們逐步偵查，已有一些發現。你要相信我們一定可以成功的。」

她帶著低澀的聲音答道：「請不必吝惜金錢，我希望這件事能徹底查明，任何方法都可進行。」

「如果你把所知的事情告知我們，也許能使這事能更清楚些。」

「我恐怕不能幫上什麼忙，但我所知道的一切事情都願奉告。」

「我們聽西錫兒・白克先生說起，慘案發生時，你並沒到過室中，也沒見過那裡的慘狀。是不是？」

「是的，我沒有看見。因爲他要求我回到我屋內去。」

「不錯，但你一聽見槍聲以後，可是立即下樓的呢？」「我把睡衣穿上了，便走下樓來。」

「從你聽見槍聲，到在樓梯間遇見白克先生，中間共隔多少時間？」

「我記不清楚，大約有二分鐘的時間。他懇求我不要前去，他說我無能爲力的，於是管家婦愛倫太太就扶我上樓。這事眞像一個可怕的惡夢。」

「你可記得從你的丈夫下樓，到你聽見槍聲之前，共有多少時間？」

「我不能確定。因爲他從更衣室下樓，我沒聽見什麼。他每夜必會在古堡裡巡視一趟，預防火災，我只知道他對於火災很戒懼的。」

「道格拉斯太太，再來就是最關鍵性的一點了。你和他相識是不是只在英國呢？」「是的，我們結婚有五年了。」

「你可曾聽你的丈夫講起他在美洲的事情，是不是有危險要降臨他身上呢？」

道格拉斯太太先想了一會，才說道：「我常覺得有危險將降臨他頭上，但他不肯告訴我。這也並非他不信任我，因我們兩人一向非常恩愛，他怕我知道了會擔心。」

「你怎能知道他的心事呢？」

道格拉斯太太微微笑了一笑，道：「做丈夫的豈能始終對他的妻子隱瞞他的事？一個愛丈夫的婦女，豈有不覺察她丈夫祕密的道理呢？我從許多地方可以知道他的情形。有時我問他旅居美洲的事情，他始終不肯提及。我從他留心嚴防，和從他言語之間不時露出一些意思，已讓我知道。還有他只要一瞧見生客，便會臉色大便，我就斷定他一定有什麼有勢力的仇敵。他知道他們正在找他，所以常要戒備。這幾年來，只要他晚歸，我就很擔心，怕他遇見了仇人，有意外的事發生。」

福爾摩斯問道：「他的言語，有什麼可使你特別注意的？」

她答道：「他常說『恐怖谷』這個名字。他說：『我曾住在恐怖谷裡，但現在還沒有脫離恐怖的環境。難道我們注定無法脫離嗎？』我見他有時驚惶過甚，便向他詢問。他又答道：『我想，我們可能擺脫不了了。』」

「你總問過他『恐怖谷』是什麼意思吧？」

「是的，我問過他。但他一聽，臉色就很凝重，搖頭不肯說。不過他說道：『這是最不幸的。假使我們倆之中，有一人注定要在這黑暗的地方，願上帝保佑，切不要加到你的身上。』我想他所說的『恐怖谷』，一定有這麼一個地方。他以前也到過那裡，因此，才遇見了種種可怕的事。其餘的我就不知道了。」

「他不曾提起其中的人名嗎？」「有的，三年前。有一次他發高燒，昏迷中說起一個人的名字。他說的時候很憤怒，也有些恐懼。這人的名字是麥金提——身主麥金提。後來他病好了，我問他身主麥金提是誰，他管理誰的身體，他笑著答道：『感謝上帝，這不關我的事。』但我想身主麥金提必和那『恐怖谷』有關係。」

警長麥克．唐納又道：「還有一點。你是在倫敦和道格拉斯先生相識，然後也在那裡結婚的，是不是？那時可有人誹議你們呢？你們的結婚，有什麼祕密嗎？」「誹議是難免的，常有人議論我們。但並沒有什麼祕密。」

「他沒有情敵嗎？」「沒有，那時我根本沒有男朋友。」

「你當然已聽說他的結婚戒指被人取走，這事可和你有什麼關係？假使兇手前來，並已下了毒手，達到他的希望，為什麼他又要把戒指取去呢？」

此時我見道格拉斯太太的唇邊，忽現出淺笑，但立刻止住。

她答道：「我知道，這的確是一件非常難測的事。」

麥克道：「我們現在不敢再煩擾你了。我們很覺得很抱歉，打擾你這麼久。如果還有要問的，以後再奉煩吧。」

她遂站起身來，我覺得她妙曼的目光，又向我們流盼了一轉。問道：「我所說的話，可使你們有些心得嗎？」說完遂鞠了個躬退出室去。

她關上門後，麥克・唐納沉思著道：「她眞是一個美麗的婦人——一個十分美麗的婦人。我想白克一定常常到這裡來，像他這樣風度翩翩，絕對使婦女們愛慕的。他說死者非常妒忌，想必定有妒忌的原因。還有丟掉戒指一事，也令人懷疑。那兇手從死者手上脫去結婚戒指——福爾摩斯先生，你以爲怎樣？」

我的朋友本兩手扶著頭，低垂沉思。這時他站起身來，拉動電鈴。

安姆司聽到鈴聲，隨即走進室來。福爾摩斯說道：「安姆司，西錫兒・白克先生這時在什麼地方？」「先生，待我去尋他。」

不多時他回來說，白克先生正在花園中。

「安姆司，你可記得昨夜和白克走進書室裡，他腳上穿的是什麼？」

「福爾摩斯先生，他穿的是一雙拖鞋。後來他要出去報警，我才把皮鞋拿給他的。」「現在那拖鞋在那裡？」「仍在大廳的椅子底下。」

「安姆司，好，這點很重要。我們想要辨明那個是白克先生的腳印？那個是外來的腳印？」

「先生，是的，我敢說那鞋上已染有血跡，即便是我的也會這樣。」

「那當然難免，在室中走來走去，難免染到血跡。安姆司，很好，假使我們還要問你，會再拉鈴的。」

安姆司退出，幾分鐘後，我們仍回到書室中，福爾摩斯已從廳上把氈製的拖鞋帶來，鞋底果然沾染黑色的血跡。

福爾摩斯站在窗前，就著陽光細細察驗。他口裡自言自語道：「奇怪！眞是奇怪！」

他拿手中的拖鞋比對檻上的血跡，竟然十分吻合。他微微一笑，不說什麼。

他拿手中的拖鞋比對窗檻上的血跡，竟然十分吻合。

麥克十分地驚奇，於是他那生硬的蘇格蘭腔又出現。

他喊道：「毫無疑問了，這必是白克自己在窗上印的。這鞋子的呎吋比別的來得寬闊。我聽你說過這是很寬的腳印，現在可以明白了。但是其中究竟如何？福爾摩斯先生，究竟如何？」我友沉思著答道：「唉！究竟如何？」

威特．梅森搓著他粗大的手掌，似乎很滿意地笑道：「我說過這事很詭異的。現在更證明這眞是一件奇案了。」

第六章　一線曙光

這三個偵探，還有許多事情要去查問，我就想獨自先回旅社，但在回去以前，我先在花園散步，呼吸新鮮空氣。那花園在書房的背後，樣子已很古舊，四周種著一排排的扁柏，修剪得很整齊，在裡面有一個草坪，草坪中有一古式石質的日規，鳥語花香，清幽入勝，在這地方可以使人頓時忘掉黑暗的室中所發生的慘案。我正在欣賞，忽然遇到一件事情，讓我又想起那齣慘劇了。

我說過花園的四周，都有扁柏樹點綴其間，在屋的最遠處，有短籬隔著。籬後有一張石椅——屋中人望不見的。我慢慢走近那處，忽然有一陣聲音引起我的注意。我仔細聽，是男女喁喁的笑語。我繞過籬後，見談話的竟是道格拉斯太太和西錫兒・白克。她的樣子使我大爲震驚。她在餐室中談話時憂容滿面，現在臉上卻一點也沒有憂愁。婉媚的眼波，快樂的面容，對著她的同伴——白克先生曲著兩肘，放在膝上，臉上也微微含笑。我此時突然來到，兩人很驚訝，立刻整肅容貌，互相低語了幾句話。白克遂站起來，走到我的身邊，道：「先生，很抱歉。你是華生醫生嗎？」

我冷冷地向他點頭，因我已見他們談笑的情形，使我很鄙視他們。

「我們知道你和福爾摩斯先生交情很好，你可願意和道格拉斯太太談一會呢？」

我勉強跟隨了他，其實我的心裡是不屑和她談話。因爲在這慘劇發生的時候，死者的妻

白克道：「你可願意來和道格拉斯太太談一會呢？」

子卻和他最親近的朋友在園中的樹下一同談笑，人家看了，眞不知有何種感想。我本很敬重她，在餐室中我見她不勝憂愁，很表同情。現在我再見她時，卻有些鄙視她了。

她道：「我想你會認爲我是一個硬心腸的人？」我聳肩說道：「這不關我的事。」

「將來有一天你會知道我的爲人，若你只覺得……」

白克搶著說道：「這也用不著華生醫生覺得，因他說這事與他無關。」

我道：「的確，所以我現在要告辭，仍舊走我的路去。」

道格拉斯太太忙竭力請求道：「華生醫生，請你暫停一刻。我有一個問題，也許你可以回答的。你和福爾摩斯先生既是深交，當格外知道他和警署中的關係。假使有人把祕密的事情告知他，他會轉告警署中的偵探嗎？」

白克也很懇切地說道：「是的，他會自己行事，還是和他們一同合作呢？」「我眞不曉得怎樣來回答你。」

「華生醫生，請你告訴我。我想你一定能幫助我的。請你鼎力相助，在這一點上引導我們。」

她誠懇的言詞，不禁使我感動，頓時把鄙

視她的念頭忘掉，而願幫她出力了。

我說道：「福爾摩斯先生是個獨立的偵探。他一切行事都是自己作主，照著公道來處理。但他對官方也十分忠心，很願意幫助他們，不會偏袒兇手。除此以外，別的我不能說。倘使你要詳細知道，我可介紹你和他相見。」

我說罷，遂戴上帽子，離開他們。我走到籬端盡處，回過頭，見他們仍舊坐在石上，一面絮絮談話，一面正向我瞧著，便知道他們在那裡議論我呢。

我回去後把這事告訴福爾摩斯，他道：「我不希望聽到他們的任何祕密。」他費去整個下午的工夫，在別墅中和他兩個伴侶商量案情，直到五點鐘才回來，他肚子餓得很。我吩咐侍者進上茶點。他又道：「華生，不要相信他們。因爲假使我們察出他們與謀殺案有嫌疑，前去追捕，他們就要十分狼狽了。」我道：「你想這件事會有這個結果嗎？」

他很快活並帶著滑稽的態度，說道：「我親愛的華生，等我吃下第四個蛋，我就會告訴你。我並不是說我們已深知這事的內幕，但假使我們找到那個不見了的啞鈴……」

「一個啞鈴嗎？」「華生，你不曾想到這事的關鍵，在一個啞鈴上嗎？唔！這也不能怪你。我想麥克先生和那精明的威特・梅森也不曾注意到這層。華生，那室中只有一個啞鈴，當然不是做體操用的，除非那人的手足有偏廢。華生，這其中很可疑啊！」

他坐著，口中咀嚼不已，閃閃的目光對我注視著。他食慾旺盛的樣子，便是成功的保證，因爲我記得從前他有疑難問題待解決時，日夜不想進食，全副精神灌注在思索的事上，所以我知道他已得到些頭緒了。後來他又取出煙斗吸煙，坐在爐旁，一邊吸一邊說。

他又取出煙斗吸煙，一邊吸一邊說。

「華生，他們是一派胡言。白克所說的話是謊言。但白克所說的事情，和道格拉斯太太說的話，可以互證，所以她的話，也是謊言了。他們兩人預先串通了來誆騙我們，所以現在我們要辨明白的，就是爲什麼他們所說的是謊言？他們所隱匿的眞相又是什麼？華生，我們試試看，研究出他們說謊的眞相來。我怎樣知道他們所說的話是謊言？因爲他們所僞造的話，和事實不能符合。試想他們說，槍聲響後不過一分鐘，大家都已聚集，那麼，這兇手在這一分鐘裡能脫去死者手上的戒指嗎？更何況這戒指還有另一隻戒指加在上面，必要先脫去這上面的戒指，然後取下那結婚戒指，再把這戒指重新套上。此外又放了一張名片在死者的旁邊，這些事絕對來不及做的。我說一定不可能做到。假使你要說戒指丟失在道格拉斯被殺以前，但就已燃的蠟燭而論，只點燃不久，足見兇手和死者相見沒有多長的時間。我們聽說道格拉斯很有膽識，並不是懦弱的人，怎會經這一嚇，便把他的戒指獻給人家呢？華生，決不會的，兇手一定是在道格拉斯死後，還逗留在室中，熄燭點燈，自做他的事，這層我是確定無疑的。但是死者的死因，顯然是被槍擊斃的，所以開槍的時候，必早在他們報告的時間之前；這樣可知白克和道格拉斯太太說的話不確實了。還有窗上的血跡，也證明了是白克先生假做上去，想要欺騙警方人員。疏不知這一著反露出他的馬腳來了。現在我們所要研究的，便是謀殺的時間了。十點半時，許多人還在室中往來，所以這事一定不是發生在十點半以前。直到十一點鐘時，他們都回到室裡就寢了，只有安姆司還留在餐具室中。今天下午你走開以後，我曾在室中試驗過。我先請白克先生在書室中大聲呼喊，我在餐具室中把門關上，果然聽不出一絲聲息。但是女僕愛倫太太的臥室並不在走廊盡處，離開書房不遠，在那裡我絕對能聽見很大的響聲的。槍聲不小，在寧靜的夜裡，很容易傳到愛倫的房中。她告訴我們說，她有些重聽。但她說在事情發生半小時以前，她聽見有一種好像關門的聲音。我相信她所聽到的聲音，便是槍聲了。這是謀殺的確實時間，是在十點三刻。假使是這樣，白克先生和道格拉斯太太就有嫌疑了。豈有十點三刻聽見了槍聲，奔下樓來之後，直到十一點一刻才拉鈴呼喚下人呢？在這時間裡，他們做些什麼呢？爲什麼不立刻拉鈴？這是一個問題，有待我們解決的。假使你能解釋出這個理由，我們的案情，就不難大白了。」

我道：「我也相信他們兩人中間，有很可疑的地方。她在她的丈夫慘死之後，卻和丈夫的仇人坐在一起談笑，眞是沒心肝的人。」

「正是，她不像是一個死去丈夫的妻子。華生，我是不相信女性的，但以我的經驗，覺得世上難得有這種妻子，會聽了別人的話，便不去看視她慘死的丈夫。華生，假使我娶了妻，我希望我的妻子對我有一種感情，若是我的死屍橫倒在離她不遠的地方，她不要就轉身跟著管家婦上樓去。這種情形任何人都要生疑。倘使沒有別的緣故，我會懷疑他們是同謀。」

「你認爲白克先生和道格拉斯太太是殺人的兇手？」

福爾摩斯以煙斗向我搖了搖道：「華生，你的問題我不敢回答。倘使你說白克先生和道格拉斯太太知道這謀殺的眞相，而同謀隱匿，那麼我可以同意你。但你的意思也不十分清楚讓我們先把疑難的問題細細考察一下。

我們假設他們兩人事先私通，然後決定除掉他們中間的阻礙，把道格拉斯害死。這只是大膽的假設。因爲詢問過僕人，沒有可以證明的地方，反有許多證據顯出道格拉斯夫婦是非常恩愛的。」

「但我想起那園中的笑顏，卻不能令人不懷疑。」

「我們可假設他們兩人很狡猾。他們謀殺道格拉斯，且知道道格拉斯暗中有祕密的仇人，所以趁這機會，嫁禍給人……」「我們只是聽到他們的一面之詞啊。」

福爾摩斯沉思著，說道：「華生，我明白了，你認爲他們的話，都是假造出來的。照你的意思，也沒有什麼隱謀和祕密黨會，以及『恐怖谷』等等事情了，這也可算是獨闢的蹊徑。我們也可就此推論，若是道格拉斯果被他們兩人謀害的，那麼，是他們故意把腳踏車留在別墅外，證明兇手是從外來的；還有留在屍體邊的名片，也是在室中預備的。華生，那是很合你的推測，但還有疑難的要點，爲什麼他們要用這截短而響聲大的獵槍呢？且又是美國式的呢？他們怎能預料槍響後，別人不會前來呢？像愛倫太太聽見關門的聲音，沒有出來看，只不過是偶然的。華生，他們爲什麼要如此呢？」

「我承認我也無法解釋那些事。」

「假使有一個婦女，和她的情人同謀，害死她的丈夫，豈會把結婚的戒指，從死者的手上取下，使人生疑呢？華生，你以爲通嗎？」

「不，他們不會這樣做的。」

「不但這樣，假如你以爲腳踏車是不重要的，那麼，最笨的偵探，也知道腳踏車是逃罪人的利器，爲什麼反拋下不用呢？由此可知這也是罪犯有意設下的了。」「我眞不知道該怎麼解釋了。」

「不過天下之事，只要能盡力搜索，沒有解釋不出來的。這是一種智識的練習，假設往往是事實之母。你想是不是？」

「我們可以猜想道格拉斯生前或有什麼祕密的罪惡，所以這時有人來謀斃他，以便報仇。但是之所以結怨的緣故，我卻不能妄測。或許是因爲婚事的緣故。在道格拉斯初娶時結下了怨仇，所以仇人把他殺死，又把他的結婚戒指脫去。但在仇人未走以前，我想白克先生和道格拉斯太太都已走到室中了。那仇人必向他們說，若是他們要捉住他，那麼，以前的祕密，他就會披露給大衆知道。他們因這緣故，寧可放他出去。他們或者放下了吊橋，讓兇手出去，然後再把那橋拉起。因那橋的起落，是沒有什麼聲音的。那兇手既已逃出，因怕途中有人見疑，又知古堡中沒有人來追捕，所以丟下腳踏車，安然步行而去。我們這樣推測，或許可更合理些。是不是？」

我很謹慎地說道：「這是可能的，毫無疑惑。」「華生，我們要記得我們所遇見的事情，都是出乎尋常。我們試再猜想下去，這兩個人在兇手逃走之後，卻覺得他們的處境非常危險，不能推說不知道這事，於是兩人急忙想出掩飾的方法。白克用拖鞋做出了窗檻上的血跡，使人疑心兇手怎樣逃走的。他們是唯一聽見槍聲的人，等到安排好了，才拉鈴警告衆人，但已過了半小時了。」

「你怎樣可以證明此事呢？」「假使是外來的人，總會有些跡象可循，這是很明白的。用科學的方法不會窮盡的。我想假使我在那書室中獨住一夜，必定有很大的幫助。」

「你要獨住一夜嗎？」「我打算現在就去。我已和總管安姆司商量過，他似乎和白克有些不對眼。我今夜將坐在那室中細細思索，看有什麼可以激發我的靈感。華生，你要笑我是一個迷信的人了。但我們試待後來的發展吧。華生，你的一把巨傘可帶來了？」「在這裡。」

「可不可以借給我。」「當然可以，——但這有什麼——用呢？假如有危險……」

「我親愛的華生，沒有危險的，不然，我會請你相助的。我不過借這傘用一用。現在我等麥克和梅森從湯白利琦回來之後，我便要走了。因他們正去查訪那腳踏車的車主。」

黃昏之後，麥克和梅森從他們去的地方回來了。臉上露出喜色，似乎已有所得了。

麥克道：「福爾摩斯先生，我從前還懷疑兇徒是否眞是外來的，所以多方辯難，現在這事已過去了。我們靠著那腳踏車，已探知兇手的姓名，所以我們這一次前去，不能說沒有益處。」

福爾摩斯道：「那麼，這案將近水落石出了。我非常爲你高興。」

「我聽說道格拉斯先生被害的前一夜曾到

過湯白利琦購物，回家時便神情驚惶，驟然反了常態，似乎他在那裡遇見了什麼仇人。所以我猜想兇手必是從湯白利琦騎車來的。因此，就帶了腳踏車，到那邊去查訪，又到各處旅館把車子給他們看。後來有個鷹商旅館的經理，認出這車子，知道這車子的主人叫哈葛萊夫，在兩天以前住在他們旅館裡，所有的行李只有這一輛車子和一個手提箱。他登記是從倫敦來的，但沒有寫下他的住址。手提箱和裡面的物件，都是英國的東西，不過這個人卻是一個美洲人。」

福爾摩斯欣然說道：「很好，很好，你已做了一番紮實的工作，我卻和我的朋友坐著空想。麥克先生，你上了寶貴的一課。」

麥克很得意地說道：「福爾摩斯先生，這話不錯。」

我說道：「福爾摩斯，這事也和你的料想相合了。」

「那還不一定。麥克先生，請你把這事說完，那人可有什麼端倪可尋？」

「他行事很細心，而且處處防備，不留下任何破綻。他並沒有什麼書信和紙件，身上也沒有標記，只有一本本村地圖留在桌上。他在昨天早上早餐後，騎了腳踏車外出，直到我去查問他的時候還沒有什麼消息。」

威特·梅森說道：「福爾摩斯先生，我認爲這事不容易明白。假使那人仍舊安然回到旅館，也沒有人會懷疑他是個殺人的兇犯。他該知道這樣一逃，旅館經理必要去報警，反使人懷疑他和這次案情有關了。」

「這只是猜想。在那人沒有捉到以前，還不能斷定。那人的狀貌，是什麼模樣？」

麥克・唐納取出他的筆記簿來，道：「我們把他們說的都記下來了。雖然他們不能說得很詳細，但那些茶房和女僕們所說的大致相同。那人身高約六呎左右，年紀約五十多歲，頭髮和鬚都有些灰白。有著鷹鉤鼻。至於面貌，大家都說看起來很兇殘，令人望而生畏。」

福爾摩斯道：「奇怪！照你所說的，好像是道格拉斯自己的寫照。他的年齡正是五十多歲，也是一樣的灰色髮鬚和一樣的身高。你還知道其他的嗎？」

「他穿著一身褐色的衣服，外罩一件黃色的短外套。頭上戴著一頂軟帽。」

「他們可曾看見那獵槍呢？」「這槍不到兩呎長，很可能放在他的手提箱裡。也可能放在外套裡，沒有人能窺見的。」「那麼，你想這事結果是怎樣？」

麥克道：「我聽到這消息後，便在五分鐘內，發了個電報通報總署，派人四出緝兇。若能把他捕到，我們就不難明瞭。即使不能立刻捕獲，我們對於這件案子也大有進展了。我們已知那兇手是個美洲人，以哈葛萊夫的假名騎了腳踏車，帶著手提箱，來到湯白利琦。箱中藏著獵槍，是準備謀殺用的。昨天早晨，他把槍藏在衣袋中，騎了腳踏車，趕到這裡。因爲有許多騎腳踏車的人在途中來來往往，沒有人會發現他。他遂把車藏在草裡，以亂葉掩蓋住，那地方便是我們尋到車子的所在。然後躲在古堡旁，想等道格拉斯外出時行刺他。這種獵槍很少用在室內，他本來也預備在古堡外狙擊的。因爲，假使有人聽見聲音，也會以爲是打獵的槍聲，沒有人會注意。」福爾摩斯道：「你說得很清楚。」

「但是道格拉斯先生不曾外出，之後兇手要怎麼辦呢？他見吊橋恰好落下，又沒有人在旁邊，就乘此機會，躡足走進了別墅。假使遇見人時，他不妨請人原諒他的鹵莽。但並沒有人碰見他。他遂溜到書室中，藏在窗簾後。從那裡他可以瞧見吊橋拉起。他知道唯一的逃生路便是走這護城河了。他守到十一點一刻時，正巧道格拉斯巡視入室，他遂開槍把他擊斃，然後逃走。他知道那腳踏車會被旅館中人認出，反而對他不利，所以他就丟了不要。用其他法子逃到倫敦，或到他預先安排好的地方去了。福爾摩斯先生，我說的對嗎？」

「很好，麥克先生，你說的很清楚。那是你所說的故事的結局。但我以爲兇手開槍是在十點三刻，比白克報告的時間早半小時。道格拉斯太太和白克先生兩人同謀隱瞞案情。他們幫助兇手逃走，或是至少他們到這室中時，是在兇徒逃走以前。他們僞造了窗上的血跡，其實是他們放下吊橋讓兇手逃出去的。那是我觀察所得的前一半。」

麥克道：「福爾摩斯先生，倘使你說的是真話，我們又被弄得莫名其妙了。」

這兩個偵探都搖搖頭。

麥克又道：「福爾摩斯先生，倘使你說的是眞話，我們又被弄得莫名其妙了。」

威特．梅森也道：「這事讓人更糊塗了。道格拉斯太太一生從沒有到過美洲，他怎能和那個美洲的兇手發生關係並袒護他呢？」

「我也不能明瞭這個疑難的問題。我今夜

要自己去查察一番，或者可以得到一些線索。」

「福爾摩斯先生，我們能幫助你嗎？」「不，不，夜色再加上華生醫生的傘已夠幫我了。我的需要很簡單。並且安姆司——這忠心的安姆司——在那裡或能指示我。我的想法始終繞著一個問題——爲什麼一個人鍛鍊身體要用單一的啞鈴呢？」

半夜時福爾摩斯從外面回來了。我們所住的房間有兩張床，在村中小旅館裡可算已很豪華了。那時我已睡著了，等到他入室時，遂被他驚醒。

我問道：「福爾摩斯，你有什麼新發現嗎？」

他站在我的床邊，手裡執著燭火，默然不語。我見他瘦長的身軀慢慢湊近前來。

他低聲說道：「華生，我說你現在和一個

他站在我的床邊，手裡執著燭火，默然不語。

神經失常的瘋子同睡在一室，心裡會害怕嗎？」我覺得很奇怪，便答道：「沒有什麼好恐懼的。」

他道：「啊！那是太幸運了。」他說完就沒說什麼話，倒在榻上睡了。

第七章　疑團解釋

第二天早上早餐後，我們便到當地警察局去。見警長麥克・唐納和威特・梅森先生已坐在會客室裡辦事。他們的桌上，堆著許多書信和電報，兩人正很仔細地批閱，有三件已放在一邊。

福爾摩斯欣然問道：「你們仍在尋找那騎腳踏車的人嗎？最近的消息怎樣了？」

麥克・唐納伸手指著那些堆積的文件，道：「現在得到各地的報告，像雷西師特、諾丁漢、南安普敦、德比、東海姆、雷溪孟特等，還有十四處，都有這種穿黃外衣的亡命之徒。但東海姆，雷西斯特，利物浦三處有形跡可疑的人，現在已被捉住了。不過眞假還難辨。全國似乎充斥著穿黃色外衣的逃亡人。」

福爾摩斯很誠懇地說道：「唉！麥克先生和威特・梅森先生，現在我希望你們聽聽我的話。對於案情我已略得了頭緒，不過要等我細心搜索，完全正確，才肯告訴你們。因此內情現在還不能吐露。但我見你們虛耗心力，用在這無益的事情上，也覺得於心不安。所以今天早晨我要告訴你們的，只有很簡單的一句話，就是你們對於這件案子，不要管了。」

麥克・唐納和威特・梅森很驚奇地互相看著。麥克說道：「你認爲這案子沒有希望了？」

「我只是說你們偵查的事情已沒有希望，並不是說這案子沒有希望啊。」

「但這個騎腳踏車的人，並不是憑空捏造出來的。我們已得知他的來歷，還有手提箱和腳踏車可以作證，這人一定存在。爲什麼不要逮捕這人呢？」

「是的，這人固然有，我們自然也想捉住他。但我不願你們耗費心力在那些東海姆或利物浦等地方。我敢說我們可從近處著手。」

麥克微慍，說道：「你說的如同啞謎。福爾摩斯先生，要了解你的意思實在很難。」

「麥克先生，你該知道我怎樣做事的。此刻因爲案情還不十分明白，我不能立刻告訴你們，但我希望把事情弄明瞭後，就交給你們去總結，我也可回倫敦了。此刻還有許多事要去做，因爲我是不會放棄有趣味的研究。」

「福爾摩斯先生，這是我不明白的。昨夜我們從湯白利琦回來和你相見時，你還贊成我們搜尋的結果。爲什麼此刻忽然又有新的看法呢？」

「很好，你既然問我，我也不妨告訴你。昨夜我曾在古堡中消磨了幾個鐘頭，那是我早已告知你們要這樣做的。」

「遇見了什麼？」「現在我只能給你一個簡單的回答。昨夜我曾讀過一本很有趣的書籍，記載著勃耳司冬古堡的歷史。那書很便宜，只要一便士，便可在本地的煙店中購得。」福爾摩斯說到這裡，從衣袋中取出一本小書來；上面繪著古堡的圖樣。他又說道：「麥克先生，這東西使考據家大大得益。人們若要探尋近代的事，不得不藉這些書本來做考證。麥克，你不要不耐煩。我老實告訴你，我讀了這本書，才知道古堡的歷史，心裡很高興。『勃耳司冬古堡，是在英王詹姆斯一世登基後的第五年，在古堡的遺址上建造的。年代之遠，可算那個時代最精美最堅固的古堡……』」「福爾摩斯先生，你眞是在和我們開玩笑。」

「不，不，麥克．我已看出你很不耐煩了。既然你不喜歡細細誦讀，待我來簡單說說吧。在一六四四年英國內亂期間，英王查爾斯失勢出走，有一個代議士便康慨地讓查爾斯在這古堡中借住了幾天。後來喬治二世也到過這裡。你應該知道有許多有趣的歷史，和這古堡有關係。」

「福爾摩斯先生，我並非不信。但這不關我們所要辦的案子啊。」

「沒有關係嗎？眞的沒有關係嗎？我親愛的麥克先生，你應打開眼界，這是我們當偵探的第一要務。雖屬不緊要的小事，也不可忽略，或許可因此得到非常重要的線索。你要原諒我，我雖只是一個犯罪問題專家，然而我的經驗卻要比你多些。」

麥克很誠懇地說道：「我承認你有道理。你的話也很讓我佩服，但你卻偏要說得這樣紆迴曲折。」

「很好。我可以不談過去的歷史，且講現在的事。這是我已經提起的。我昨夜到了古堡中，白克先生和道格拉斯太太兩人，我都不曾去看他們。我認爲不必去驚動他們。我很高興聽到道格拉斯太太正在享用精美的盛宴，將不會遇見她。我見了安姆司，就把我去的用意告訴他，叫他讓我一人獨自在書室中待一陣子，不要讓別人知道。」我突然說道：「怎的！做什麼呢？」

「現在室內每樣東西都已恢復正常，麥克先生，我不過在室中待了一刻鐘。」

「你做什麼事呢？」「我也不必保守祕密了。我是去搜尋一個失去的啞鈴。啞鈴該是成雙的，不會少去其一，我就一意想把它尋找出來。」

「在那裡？」「啊！我們暫且就此打住，待我再進行下去。我答應過你們，凡是我做的事，都會讓你們知道的。」

「我們願意聽你的話。但你叫我們放棄這案，爲什麼呢？」

「我的朋友，這是很簡單的理由。因爲你們沒有先想想你們偵察的是什麼啊！」

「我們正在偵察殺死勃耳司冬古堡主人道格拉斯先生的兇手。」

「是的，是的，你們的話沒錯。但不要費盡心力，去追尋那個騎腳踏車的神祕客人。我敢說，這事對你們沒有益處的。」

「那麼，你說我們應當怎樣做呢？」「假使你能聽從我的話，我自然會告訴你們怎樣做的。」

「我常覺得你的言論奇妙不可測。我會遵從你的意見。」

「威特·梅森，你呢？」

這鄉間偵探，向每個人看了看，似乎不知所然。覺得福爾摩斯先生說的話，都使他覺得十分奇怪。

一會，他才說道：「倘使麥克先生以爲對的，我當然也是一樣。」

福爾摩斯道：「很好，我建議你們到鄉間去散步一趟。你們告訴我說，從勃耳司冬小山邊一直到威爾德，風景很好。我雖不認識鄉中的人，但一定有主人願意請我們聚餐的。晚上雖稍疲倦，可是卻很快活……」

麥克從椅上站起來，有些嗔怒，說道：「福爾摩斯先生，你是在說笑話玩弄我們。」

福爾摩斯以手拍拍麥克的肩膀，說道：「很

好，隨便你們怎樣消遣。但請在傍晚時，一定到這裡來見我，不可失約。麥克先生，你們切不可失約。」「我們仍不明白你的意思。」

「我所說的，都是很好的建議。此時我無需你們的協助。但在我們分手前，麥克先生，我要你寫一封短信給白克先生。」「好。」

「如果你願意，我就要口述了。請你預備了。」

「『親愛的白克先生，我們現在爲了偵察的關係，想排乾護城河中的水，希望因此可以找到……』」

麥克道：「這是不能的。」「哎，哎，我的朋友，你聽從我的話便是了。」「好的，請你說下去。」

「『……我們所要找的東西，我已預備好了。明天早上工人就上工……』」「不可能的！」

「『把護城河水弄乾，所以我想最好預先通知你一聲。』」

「現在可以簽字在上面，在四點鐘時，命僕人送去。到時候我們在這裡碰面。現在各人請便，這問題也暫且緩議。」

黃昏將近時，我們又聚集在一起。福爾摩斯忽然表情嚴肅，一反常態，我覺得很奇怪，麥克等也很不解。

我的朋友很嚴肅地說道：「各位朋友，我請你們和我一同去試驗。你們將會知道我的觀察合理不合理。今晚天氣很冷，我也不知道此去要多久，所以請你們都穿上厚暖的衣服，不要受著寒氣。最要緊的，我們須趁天色未暗以前趕到那裡。現在我們立刻走吧。」

我們一路走去，到了勃耳司冬古堡，便沿著護城河邊的欄杆前行。那邊有一個缺口，我們遂跨過去。我們跟著福爾摩斯直到一處樹叢的底下，那裡靠近古堡的前門和吊橋，這時吊橋還沒有拉起。四周靜悄悄的，沒有人聲，福爾摩斯便蹲伏在桃樹後面，我們三個人都學他，一齊蹲下。

麥克·唐納似乎很不耐。便問道：「現在我們要做些什麼呢？」

福爾摩斯道：「我們現在僅需要極力忍耐，並且不要作聲。」

「我們在這裡到底要做些什麼？我想你最好明白告訴我們。」

福爾摩斯笑了。他說道：「華生說我的生活好像一個戲劇家，戲劇家要他的藝術可以轟動世人，就必須曲曲演來。麥克先生，我們的職業假使不把它看作戲曲，自然很沉悶無味了。敏銳的推測、錦囊妙計、巧妙的預謀和推論的證實，這些難道不是我們一生中最值得驕傲而以爲自許的嗎？現在你們耐心靜候，一切便可明白了。」

「很好，我希望你所說的一切佳境，能在我們凍斃以前實現，那才算大幸了。」

我們守著這漫長難忍的夜。因爲這時天色已漸漸變黑，古堡被暮色所籠罩，也漸漸隱沒。一陣陣的冷風從護城河中吹來，讓我們凍徹心扉，牙齒也不停打顫，實在難熬得很。後來有燈光從古堡裡透出了，還有一道燈光從發生慘案的書室中射出，除此以外，四周都寂靜且昏暗難辨。

麥克忽然問道：「要守到幾時呢？我們守在這裡做什麼呢？」

福爾摩斯立刻答道：「我也和你們一樣不知道啊。假使那罪徒的行動有一定的時間，就像列車時刻表一般，我們便省力得多了。至於我們做的是什麼事——那就是我們在此守候的東西！」

他說話的當兒，書室中的燈光忽然搖晃不定，似乎有人在裡面往來行走。我們所躲的樹叢恰對著長窗，相距不過百呎，所以看得很清楚。不久，忽有開窗的聲響，有人探頭出來，向四周張望，形色鬼祟，好似怕人瞧見的樣子。

不久，忽有開窗的聲響，有人探頭出來。

我們見了愈不敢動，只聽見護城河水激蕩的聲音，他似乎手裡拿著東西，伸入護城河中去撈取什麼東西。後來這人像漁人舉網得魚一般，忽然有什麼東西躍起，是一個圓且大的物件，被他拉到窗內去了。

福爾摩斯跳起說道：「現在快走。」

我們便跟著他盡力前奔，但手足都有些麻木了。那時他卻勇氣十足，十分矯捷，平日不容易見他這樣。他很快地跑過橋去，用力按動門鈴。古堡的門開了，驚惶的安姆司站在門口。福爾摩斯並沒說什麼，伸手把他推開，我們跟著他一齊奔到我們注意的室中去。

入室的時候，桌上有一盞火油燈便是我們在外面望見的燈光，現在白克拿在手裡。燈光下照見他堅毅的外表，和鎮靜的眼神。

他喊道：「這是什麼意思呀？你們急急忙

忙地爲著什麼呢？」

福爾摩斯轉動他銳利的目光，四下一瞧，很快地奔到寫字檯前，從檯下取出一包濕的衣服來。

「白克先生，我們便是爲這東西而來的。這一包濕衣服繫著一個啞鈴，就是你從護城河底取出來的。」

白克很驚惶地對著福爾摩斯瞧著。問道：「你怎麼知道的呢？」「這東西是我曾放在護城河中的。」「是你曾放在護城河中！是你嗎？」

福爾摩斯道：「或者可說，放下去的人，雖不是我，而我確曾取得了這衣服，重新放下護城河底的。麥克警長，你該記得我之前瞧見丟了一個啞鈴，心裡便有所懷疑。我曾教你注意這事，但你忙著別事，無暇顧及此事。若照情理講，也不難明白這屋子既靠近水，而又失去一件有重量的東西，便可知必有人用來沉物在水中了。這層假設很值得試驗，所以我在前夜悄悄來到這裡，得到安姆司的應許，到過室中，便用華生醫生傘柄上的鉤，在護城河中撈到這一包衣服。但我想最重要的便是要研究沉衣的人是誰了，因此，我才又放入水裡，而請麥克先生寫信，說明天早上我們要來搜查護城河。這信的用意，便是讓那沉衣服的人知道要在今夜裡預先撈走。我們四人遂到護城河邊潛伏，以便做證人，白克先生，現在你當把這事的始末講個清楚了。」

福爾摩斯遂把那一包濕衣服放在桌上，在燈邊解下繩索，一個啞鈴立刻落下。福爾摩斯拾起來放在室隅，果然和那一個啞鈴相同。他又從衣服中拖出一雙皮靴，指著說道：「這是你們說的美國式的。」接著又取出一柄長刀，刀鞘具在。後來又取出一包衣服，內衣、襯衫、以及黃色的外衣。

福爾摩斯說道：「這些衣服雖很普通，但這件黃色外衣就很值得注意了。」他取著放在燈光下，伸出瘦長的手指，指點給衆人看。他又說道：「你們看，這件衣裡有很深的夾袋，大概是預備放那截短獵槍的。並且衣上又有製衣的店名，是美國凡米賽尼耳服飾店的。我曾花去一個下午，在一個牧師的藏書室中查考過，知道凡米賽是一個很繁榮的城市。是美國產煤鐵最好的地方。白克先生，我記得你同我談起道格拉斯先生的第一個妻子時，曾說起他採礦的事。於是我知道死者身旁的名片上有V・V・兩字，必然是凡米賽山谷(Vermissa Valley)的縮寫了。可能是這山谷中派出殺人的兇徒來行刺的，那便是我們所聽到的『恐怖谷』。這事就很清楚了。白克先生，我好像代你陳說了。」

當我的朋友在說話的時候，西錫兒・白克的臉色慘變，似驚似怒，又似乎很惶恐。最後他聳著兩肩，好像譏諷般地回答。

他說道：「福爾摩斯先生，你既然都知道得這麼清楚，乾脆再把其餘的事情告訴我們。」

「白克先生，其餘的事情，我當然可以奉告，但卻不及你自己講更好。」

「唉！你這樣想的嗎？我可說一切祕密的事，都和我沒有關係，所以我沒有辦法告訴你們。」

麥克冷冷地說道：「白克先生，倘你堅守祕密，不願直說，我們只有把你拘禁了。」白克岸然答道：「任憑你們怎樣辦好了。」

他的話很堅決，我們也覺得沒有辦法可以

強逼他直說。正在猶豫的時候，忽聽見有婦女的聲音；原來是道格拉斯太太。她本在那半掩的門邊竊聽，現在她走進室裡了。

她道：「西錫兒，你對我們已經仁至義盡了。雖然這事不知後來如何，你卻已爲我們盡力了。」

福爾摩斯莊容說道：「你的朋友，不但仁至義盡，而且過分了。夫人，我對你很表同情，現在請你把這事詳細見告。昨天我聽華生醫生說起你有祕密要告訴我，但可惜我在那時以爲你和這罪案有直接的關係，所以不敢深信。現在我已知道這事不是這樣的。但還有許多事情總要說個明白，所以我希望你快請道格拉斯先生自己出來說個明白吧！」

道格拉斯太太聽了福爾摩斯的話，不覺驚叫了一聲，我們也覺得十分奇怪。這時忽見有一個人從暗處隱隱走出，他走得很慢，好像是個鬼。道格拉斯太太立刻回轉身去擁抱他，白克也過去和那人握手。

道格拉斯太太立刻回轉身去擁抱他

道格拉斯太太說道：「約翰，這是最好的了。我知道這樣是最好的。」

福爾摩斯也道：「是的，道格拉斯先生，我也確信你們應知道這樣是最好的。」

這人呆立著，以他閃爍的目光注視著我

們。他的眼眶很大，向內深陷著，眸子灰色，下巴有灰色的鬍鬚，容貌很醜。他朝我們細細看，我不禁大爲驚駭。他走到我的身邊，把一束紙拿給我。

他說話的聲音，既不像英國人，又不十分像美洲人。但是很溫和地說道：「我早聽見你的大名，你可以做這一束紙的記錄者。華生醫生，恐怕你以前從沒有得到這樣一種好資料。請你隨意把它寫下，但不要扭曲事實的眞相。這本書假使成功，必定會轟動社會的。我躲在密室中，花了兩天的工夫，才勉強把它寫成。我想大家都會有興趣的。這就是『恐怖谷』的故事。」

福爾摩斯很沉靜地說道：「道格拉斯先生，這都是過去的事，我們現在希望你告訴我們現在的事情。」

道格拉斯道：「先生，你們會知道的。但我說話的時候，可吸煙嗎？福爾摩斯先生，謝謝你。你自己也喜歡吸煙的，你想我整整兩天沒有吸煙，眞難過極了。」

他靠在爐旁，把福爾摩斯拿給他的雪茄點燃吸著。

「福爾摩斯先生，我久仰你的大名，但從沒想到會和你相見。但在你詳讀這資料以前，」——他指著我手裡握的紙卷——「你必會說我告訴你們的事情很新奇。」

麥克很驚奇地注視著他，喊道：「這事眞使我大爲吃驚。若你是勃耳司冬古堡的主人約翰·道格拉斯先生，那麼死了兩天的人是誰呢？並且現在你又從什麼地方跳出來的呢？照我看來，你好像一個幻術家，從地板裡變出來的。」

福爾摩斯搖了搖手，說道：「唉，麥克先

生，你不曾讀過這地方的紀事書哩，書上詳述英王查爾斯避難的地方。在那時的人，若沒有安穩可靠的地方，決不輕易藏匿的。這古堡既是個避難所，自然有祕藏的地方，所以我斷定道格拉斯先生必也隱藏在這古堡裡的祕密藏身所。」

麥克憤然說道：「福爾摩斯先生，你怎麼都一直不告訴我們，讓我們白白去搜尋？是什麼道理？」

「麥克我友，你不要冤枉我，我的假設也是在昨天夜裡剛成立的。我因爲必須等到今天夜裡才能證實我的假設，所以請你們休息一天。你們說，我能做些什麼呢？我在昨夜從護城河撈到了濕衣服，才知我們看見的那個被殺的人不是約翰．道格拉斯先生，而是那從湯白利琦旅館中騎腳踏車來的人。這肯定不會錯的。於是我又想起道格拉斯先生殺人以後，或者沒有逃走。靠著他妻子和朋友的幫助，想必還隱藏在古堡中的祕密地方，等這件事平息以後，再預備遠走他方。」

道格拉斯先生很贊成地說道：「你的話一點也不錯。我知道我所做的事已犯了殺人罪。但我覺得我也乘機把我的仇敵除去，所以自始至終，我並不慚愧。但請你們幫我評論評論，假使我理當受罰，我也死而不悔了。」

他又指著我手中的紙道：「現在我說的只是大要，一切細節全在這文件裡面。這事主要的原因就是，有許多人因種種的關係和我結怨，隔了很久，還是沒有化解。我雖曾屢次遷避，他們卻還是追蹤而來，好像世上已無我容身之處了。他們從芝加哥追到加利福尼亞，讓我不得不離開美洲，我結婚以後，遂避居在這村中，以爲可以脫離危險，過我的安穩日子了。此中的祕密，我從不曾告訴過我的妻子。我何必拖累她呢？因爲她假使知道了，就一定會驚恐，而沒有平靜的時候了。後來，我覺得她好像已經知道了一些，因爲我有時無意中會露出一二句。至於其中的底細，她實在毫不明瞭。直到昨天晚上，我才詳細告知她。因在事發的時候，急急忙忙，也來不及細講。所以你們查問的時候，她和白克也只能把他們知道的說出來。」他說到這裡，握了握道格拉斯太太。

他又道：「各位，案發的前一天，我曾到湯白利琦去，瞥見一個人在街上，我立刻迴避。但就在一瞥中，我已認出那人。他是和我怨隙最深的一人，幾年來也一直追蹤我，好似餓狼逐兔，不肯罷休。我知道將有禍殃來臨，所以回到家中，連忙預備。因我歷年遇險始終沒有遭殃過。美國地方的人都說我運氣好。我想這次大概也能避免的。到了第二天，我仍舊嚴密防備，也沒有走出古堡，一無變動。到黃昏吊橋拉起之後，我的心神略定，認爲無人可飛渡過河，卻沒想到他已躲在古堡中等候我了。我就寢前，照例到四周去巡行，走到書室的時候，我的腦中好似知道有危險要降臨了。因我以前每次遇險，也常有預兆的，但我也不能說出緣故來，於是我悉心留神，忽見窗簾後面露出靴尖，我遂知道果然有危險來了。我手裡雖然只有一枝蠟燭，但客室中的門開著，也有燈光射出。我忙把蠟燭放在桌上，從爐沿上拿了一把鐵鎚。此時他已跳出向我猛撲，刀光霍霍的。我以鐵鎚抵禦，擊中他的手腕，那刀立刻落地。他在向桌子邊倒退之後，就從外衣中取出他那把截短的獵槍。我沒等他開槍，已過去把槍奪

我沒等他開槍，已過去把槍奪住。

住，互相掙持。不知怎的，槍機忽然震動，雙彈飛出，擊中他的臉部，他立即倒地而死。而我已認出他是泰特・鮑耳溫了。從在湯白利琦一瞥，和他向我撲上來時，我已很清楚地認出他。但在他倒地以後，恐怕他的母親也認不出是他了。白克匆匆入室時，我倚身靠在桌邊。我又聽見我的妻子前來，就奔到門口阻住她，因爲這種慘象，決不能給婦女瞧見的。我應許她等會兒便到她那裡。我又和白克說了一二句話，他見了情景也略知一二。我們就等著其他人前來，可是卻一點動靜也沒有。我們便知道他們大概都沒有聽見聲音，只有我們幾個人知道這事。那時我忽有一種想法，因爲我見那人的袖子捲起，臂上露出黨中烙著的印記。請看這裡。」

道格拉斯捲起衣袖，便見他的臂上烙著一個三角形而外繞一圈的記號，就和我們在死者身上看見的一樣。

道格拉斯又道：「我不禁想出一個計謀。因那人的身材和髮色都和我一樣，並且已沒有人能認出他的面容了。我遂和白克先生把死者的衣服脫下，讓他穿上我的衣服，那是你們曾經見過的。我們又把他所有的東西縛成一束。在室中只有啞鈴是唯一可用的夠重量的東西，因此便綁上了，開窗沉在護城河中。至於那名片，是他有意要留在我死屍旁邊，給同黨中的一個暗號，我也拿來放在他的身邊。我又把我手上的戒指給他戴上，但我的結婚戒指自從成婚以來，一直沒有脫過，你們看我的肉都長牢了……」他遂伸出他那肌肉發達的手臂來，給我們看——「我又拿一個藥膏貼在他的下巴，讓他看起來像我，因這天我曾刮鬍子被剃刀割傷了，曾貼藥膏。福爾摩斯先生，你雖絕頂聰明，但這一著也疏失了。你在檢驗時假使把藥膏揭去，便可知道其中並沒有什麼傷痕了。這就是我的計謀了。因爲我如果逃走，還能在何處與我妻子相見呢？只要我活著，那些惡魔決不肯一日罷休。但是假使他們在報上見鮑耳溫暗殺已經得手，那他們就會罷手了。我沒有時間對我妻子和白克說明，但他們都能夠幫我。安姆司和我一樣知道古堡中隱藏的地方，但我沒有告訴他，恐怕他把事情洩漏了。我遂躲到密室裡去，其餘的事，都交給白克先生去做。」

「我想你們也已知道他所做的事了。他開窗留下足印，使人懷疑兇手已經逃遁。因爲吊橋已經拉起，也只有這個辦法了。等到一切安排好了，他遂拉鈴召衆人前來。以後的事，想必諸君都已知道，不必我來重說。現在你們要怎樣辦，便怎樣辦吧。我告訴你們的都是眞話，上帝必能幫我。現在我要問的是我在英國法律中當受何種的對待？」

大家都靜默無語，歇洛克·福爾摩斯遂開口說話。

「英國的法律很公正，你當然沒有重罪。但我要問你，這人怎麼知道你住在這裡的？又怎樣潛進別墅中來謀刺你的呢？」「我一點也不知道。」

福爾摩斯的臉忽然一沈，道：「恐怕你的危險境遇還沒有過去。你會發現有更大的危險，遠過英國的法律和你美洲的仇人。道格拉斯先生，我希望你仍要注意防備啊！」

現在讀者不要厭倦，我要請你們暫時和我拋開勃耳司冬古堡和現在的事情，回到二十年前數千哩外的地方。我要讓你們知道一件駭人聽聞的奇事。這事是約翰·道格拉斯先生親身的經歷，十分奇特。各位讀了，當能知道我的話不假。請你們不要以爲我在一案未結以前，再介紹別的事情。你們讀後，便知不是如此。你們後來可以在倫敦貝克街中知道這件事的結局，因爲那裡是許多奇案總結的地方啊！

下卷

第一章　少年旅客

一八七五年的二月四日，天氣嚴寒，乾耳滿登山谷中積雪深厚。山下煤鐵礦場的工人，以蒸汽掃雪機掃清軌道上的雪。車正從斯坦維耳一路彎彎曲曲地開上坡來，直到凡米賽鎮去。凡米賽鎮在凡米賽谷口，火車行駛到這裡，就往下駛，經過白登支路、海臺爾站，直到農產繁盛的滿登。車道是單軌，兩旁都是煤鐵礦，礦產豐富，是美國的天然寶庫。一般流民土著都遷居來此，從事開礦的工作。所以這冷清的凡米賽山谷，漸漸熱鬧起來。

這裡以前是很荒涼的，最先開闢這地方的人，絕沒想到這種叢林森密、水潦低窪的地方會有這麼一天。谷中危石疊起，凜然作勢，懸崖上積雪覆蓋，如同戴著白冠。這時那列火車正慢慢駛上來。

天色已昏黑，車中的油燈都已點起來。第一節車上有二三十個乘客，大半都是工人。他們經過了一天的勞動，正要從山谷裡回家休息。裡面有十幾個人，面目黝黑，手裡提著小燈，都是礦工。這些人口裡吸著煙，聚著低語。時時斜睨到對座的兩個人，那兩個人身穿制服，顯示出他們是警察。此外又有幾個苦力婦女，和鎮上的小販。惟有東隅一個少年旅客獨坐著默無一語。因為這個人在我書裡很重要，所以要交代淸楚。

他的面容淸秀，身材不高不矮。估量他的年齡，也不過三十歲左右。兩個灰色的眸子很大，非常靈敏，時常從他戴的眼鏡裡向四週注視。他的外表和氣，臉上戴著笑容，使人一望而知他是個善於交際的人。但若細細的觀察，會見他常常以牙齒咬著嘴唇，露出果斷、堅毅的神情，由此可知他是個深諳權謀的人。將來在社會上當會有一番作爲。。

這少年和旁邊的礦工小語了幾聲。但因他們的回答都很粗魯，他因此默不作聲，只看著窗外的風景。那時天色昏暗，一點也沒有好看的景物，只見山邊爐火炎炎的發光，一堆一堆礦滓堆積得和山丘一般。在黑暗裡，僅見一處處的木屋，窗裡隱約有燈光外射，在山坡邊一點一點的，讓人一望而知那邊便是工人們食宿的地方了。在凡米賽產煤鐵的山谷裡，有一種慘酷的景象，那就是人們了爲生活而搏鬥的痕跡。

少年見了，臉上頓露出不愉快的樣子，也不想看，隔了一會，他從衣袋裡取出一封信來，拆開了看；之後又在信的空白處用筆劃上幾個字。不久他又從身邊掏出一件東西，這件東西不像是他這種態度溫和的人該有的。原來是一支巨大的手槍。他拿到燈光下時，黃銅的彈殼閃閃發光，可知裡面已裝滿了子彈。他急忙放進袋中，但那時已被一個坐在旁邊的工人看見。

他說道：「嘿，朋友，你好像戒備森嚴啊！」少年勉強笑了一笑，答道：「是的，我們那個地方有時需要用的。」「你從何處來的呀？」「我從芝加哥來。」「那邊不安全嗎？」「是的。」

這工人又道：「你要知道這裡也用得著這個東西。」少年很注意地說道：「是這樣嗎？」「這裡充滿了這些事，你不久便可以知道。你爲了什麼事來的？」「我是來做工的。」「你是工會中人嗎？」「正是。」「我想你會有機會的。你有什麼朋友？」「現在還沒有，但我自有方法交朋友。」「那麼，你用什麼方法呢？」「我是弗利門（譯意即自由人）會的會員，不論什麼地方，都找得到住宿，都找得到朋友。」

這些話，工人聽了，立刻現出驚異的表情。他向四周看了看，見那些礦工正在切切耳語，兩個警察在那裡打盹。他遂站起，移近坐到少年身旁，伸出他的手來，道：「請伸出手來。」兩人遂互相握手。

「我覺得你說的是眞話，但我還是要試試。」他舉右手，放在他的右眉角邊。少年也立刻舉起左手，放到他的左眉角邊。

工人道：「黑夜沒有快樂。」少年答道：「在異地旅行的人，尤其沒有快樂。」

「太好了！我是史坎倫兄弟，隸屬凡米賽三百四十一支部。很高興認識你。」

「謝謝你。我是雅各・麥克滿杜兄弟，隸屬芝加哥二十九支部，身主是司各德。我很幸運能這麼快遇見一個弟兄。」

「我們有很多的人在此。你要知道在這凡米賽谷中，黨人的勢力比起他處要來得雄厚。但我們這裡需要有像你一樣的小伙子才行。我不明白你既是工會中人，爲什麼不能在芝加哥找工作。」

麥克滿杜說道：「我有不少工作可做。」

「那麼，你爲什麼離開呢？」

麥克滿杜向那些警察努唇作勢，又笑了一

笑，道：「這些話他們會喜歡知道的。」

史坎倫很表同情地嘆了一口氣，低聲問道：「你有麻煩嗎？」「很大的。」「是犯罪行爲嗎？」「接近了。」「該不會是殺人吧？」

麥克滿杜立刻顯出驚訝的臉色，似乎懊悔把祕密的事向人洩漏一般。他說道：「現在要講這事還早哩。我離開芝加哥自有緣故，並不關你的事，你是誰，要問這麼多呢？」

他灰色的眸子發出灼灼的光，從眼鏡裡射出。隱藏著怒氣。

「朋友，不要動怒。我們都是同黨，我對你沒有惡意。你現在要到那裡去？」「到凡米賽。」「第三站便到了，你要住在何處？」

麥克滿杜從身邊取出一個信封，湊近燈光下面。

「這便是我的地址——雅可勃·歐富特，喜烈丹街，這是在芝加哥的朋友介紹給我的住處。」

「我不熟。我住在花柏森村。難得去凡米賽，現在花柏森站要到了。但在我們分別以前，我有一句話奉告。你在凡米賽一旦遇到困難的事，可以逕至工會中找身主麥金提，請他援助。他是凡米賽地方的身主，凡事沒經他許可，不能做。朋友，再會了。以後我們或有相見的一天，但請牢記我的話：倘你有什麼困難，可到身主麥金提那邊去。」

史坎倫下車以後，麥克滿杜又獨坐凝想。天色已晚，耳邊但聞鎚擊的聲音，爐中熊熊的火焰跳動著。時時可見工人的身影和著敲擊的聲音，扭動著身體。

這時忽有人歎息道：「我想這裡眞像地獄的景象。」

麥克滿杜轉身急視，見兩個警察都已睡醒，有一個警察正離開他的座位，憑窗看到外面的火光並說話。

另一個警察說道：「我說，不是這裡像地獄，而是地獄像這裡；因爲這邊怪物很多，比地獄裡的魔鬼更厲害。」他又對少年說道：「青年朋友，我猜你是初到此地？」

麥克滿杜帶著冷漠的聲音回答道：「假使我是初到的，又怎樣呢？」

「先生，沒有別的緣故。我只是告訴你，須當心選擇你的朋友。假如我是你，我不會想和麥克．史坎倫，或是他的同黨做朋友。」

麥克滿杜大聲道：「我交朋友，干你什麼事？我可曾請你教訓嗎？你想我是行動不能自主的人嗎？請你不要再說什麼話，我是不願意聽的。」他說時，聲音很大，使得一車的人都愕然地看著他們。

他板著面孔向那警察申斥，好像狗一般地狂吠。

這兩個警察本來一片熱誠向他告誡，卻得到這種非常激烈的回報。

一個警察說道：「朋友，你不要動怒。我們是爲你好而警告你啊！因爲我見你是初到此地，百事都生疏。」

麥克滿杜冷笑道：「我是對此處生疏，但對於你們這種人的作僞卻很熟悉。我敢說，沒有人願接受你們的忠告。」

一個警察帶著惱色道：「不久我們便會瞭解你的，你眞是沒有心肝的人。」

又一個道：「我也這樣想，我想我們終有相見的一天。」

麥克滿杜喊道：「你們休想嚇我，我並不

怕你們。我叫雅各．麥克滿杜——知道嗎？若你們要找我，可到凡米賽喜烈丹街雅可勃．歇富特那裡，我決不逃避的。難道我怕你們嗎？不論什麼時候，白天或是黑夜，我都樂意奉陪。你們記住好了。」

許多工人聽了，大聲讚美這新來的少年。這兩個警察聳肩作態，然後又繼續交談。幾分鐘後，火車開到一處燈光暗淡的地方，大家都說凡米賽到了。麥克滿杜就提著皮箱預備走下去，這時忽見一個礦工過來和他握手。

那礦工帶著驚嘆的聲音道：「朋友，你剛才盛氣凌人，勝過他們，我非常欽佩。讓我來代你提皮箱，引你走路，我剛好要經過歇富特的家。」

他們走過月臺時，大家都友善地齊聲向麥克滿杜道「晚安」。所以儘管尚未踏入此地，這個搗亂份子麥克滿杜的英名已傳遍了凡米賽地方了。

這地方是個恐怖之地，景象蕭索，山下爐燄衝天，濃煙下覆全鎮，黑黝黝的死氣沈沈。走到市中，只見街道非常狹窄，積了不少塵土，低下處堆著泥和雪，難於行走。街旁矮屋相連，都是木頭做成的，沿街都有陽臺，外觀污陋不潔。他們走近市中，見兩旁店家都點著煤氣燈，大都是酒店賭場，那些礦工辛苦掙得的錢，都到這裡來狂賭。

那引路的礦工指著一處高大而像旅館一般的酒舖，說道：「那便是工會的會所。領袖麥金提便在那裡。」麥克滿杜問道：「他是怎麼樣的人？」「怎的，你沒有聽過這領袖的大名嗎？」「我是初到這裡作客的，怎會知道他呢？」「我想他的名氣在工會中都知道的。並且常在報紙上看到他。」「爲什麼呢？」

這礦工低聲說道：「爲了工會的事。」「什麼工會的事？」「先生，你不要動氣，你眞是個呆人。在這裡只有這一個黨，便是斯酷鸞黨的事。」「我在芝加哥工會聽說斯酷鸞黨是一個專事殺人的祕密黨。是不是？」

礦工立刻停住，驚駭地道：「快不要說了。你要顧全你的性命啊！」

礦工立刻停住，很驚駭地看著他的同伴道：「快不要說了。你要顧全你的性命啊！先生，你若在通衢大道中講這些事，一定會沒命的。已有許多人因此而喪命了。」「其實我也不曉得，不過我是聽來的。」

礦工仍惴惴不安地向身後瞧，好像怕有什麼危險。他說道：「我並不是說你聽到的不對。如果是謀殺的話，天知道，謀殺案可多了！但你斷不能提及麥金提和這種事有關。客人，此地耳目衆多，他知道了，絕對不會輕易放過人的。現在那邊街後的一棟屋子，便是你的去處了。你將會感受到雅可勃．歐富特是一個很誠實的長者。」

麥克滿杜道：「謝謝你。」說完，他就和那人握手道別。他提了他的手提箱，走到屋子前面，在門上扣了幾下，門便開了。他向出來的人看了一看，不覺出乎意料。

來的是一個秀麗的女子，正值妙年，金黃色的頭髮，漆黑的眸子，似乎是瑞典人。她一見來客，不覺雙頰微紅，更見嫵媚，麥克滿杜見了，不覺心旌搖搖，神魂飛揚。因爲沿路的景象十分慘寂，沒有這樣吸引人的。她好似一朵可愛的紫羅蘭，生在黑醜的礦滓中，尤覺珍貴。所以他立定了，目眙神往，沒有一句話。於是她先開口說話。

她夾雜著一些瑞典口音，嬌聲說道：「我以爲父親回來了。你是來看他的嗎?他到鎮上去了，我正盼望他歸來。」

麥克滿杜仍舊向她癡視，她遂低下頭來，目光向地下注視著。

他說道：「不，小姐，我並非有急事來見他。但想借你家一住，我想總可以的。」

女子微笑道：「你也決定得太快了啊！」

他答道：「除非是個瞎子，否則大家都會這樣決定的。」

她道：「那麼，請進來，我是愛丹・歇富特。歇富特便是我的父親。我母親早已死了，我獨管家務。你可坐在客室中的爐旁等我父親回來，等他來了，你有話可向他說。」

一會兒，一個龍鍾的老者慢慢地走進來。麥克滿杜遂和他相見，告訴他說芝加哥有一個朋友墨非，介紹他來此投宿，請主人允諾。歇富特很和悅，並不拒絕，遂議定每月收十二塊錢，算做食宿費。從此這自稱逃犯的麥克滿杜便住在歇富特家裡。以後牽扯出來的無數風波，乃至於不可解的結，都是在此時種下的。

第二章　身主

麥克滿杜很機靈，能隨處迎合人家的意思，所以他寄居在這裡，不到一星期，房客們都很稱讚他。歇富特老人家裡有很多寄宿的人，除了麥克滿杜以外，還有店夥工人等十多個人，但這些人都是些愚陋沒有智識的人。麥克滿杜有時和他們相聚諧談，談吐高妙，好似磁石般能夠吸引人。他唱起歌來，十分好聽，無人能出其右。但他時常會做出那種在火車上的兇狠樣子來，使人生畏。他做事任性、輕視法律，因此有人讚賞他，也有人覺得驚恐。

他自從看見愛丹小姐以後，覺得她丰姿綽約，心中非常愛慕。他是一個性急的求婚者。第二天他就告訴她，說他怎樣愛她，向她求婚，不管她心裡怎樣，他就是爽爽快快地直說。

他道：「我很愛你，若有人來侵奪我的愛，那人必然遭殃！讓他自己想想看，我可甘心把我一生的好機會讓給別人嗎？愛丹，你雖然說『不』，但總有一天你要說『是』的。我年紀還不大，願意等待。」

他是一個危險的求婚者，憑著他多才的愛爾蘭口舌，和他神祕的魅力，尤能博得婦女們的歡心。他敍述他以前到過的馬拿海州的風景，說那裡山水清幽、荒木明瑟，與這裡的雪地荒涼大不相同。他也曾流浪到北方，住在密歇根和白富洛兩處。最後又到芝加哥，在鋸木廠做工。之後發生了一件事，遂到這裡來，想換一種新生活。他的言詞眞切，意態纏綿。愛丹聽了，漆黑的眸子充滿了憐惜之意，這種憐惜的心一起，便很容易引到愛情上去了。

麥克滿杜謀得了工廠中記帳員一職，因爲他是受過教育的人，必能勝任。不過這樣竟使他在白天非常的忙碌，一直沒有功夫到弗利門工會中去報到，而他也忘了。一天晚上，麥克·史坎倫來拜訪他，兩人是在火車上見過一面的。史坎倫身材矮小，面容尖瘦，眼睛深黑，有很多點子，他很高興和麥克滿杜重逢。麥克滿杜遂請他喝酒，喝了一兩杯威士忌後，他遂說明來意。

他道：「麥克滿杜，我記得你的地址，所以來拜訪你。我十分好奇，你還沒有到身主那裡去報到，爲什麼你還沒有去見身主麥金提呢？」「我正在找事，很忙。」

「倘使你沒有別的事，總可找出些時間去見他。天哪，你到這裡以後的第一天早晨，竟沒有到工會裡去報到，那眞是瘋了。倘使你得罪了他，唉，你決不要——我只能說到這裡了！」

麥克滿杜略感驚奇，道：「史坎倫，我入會已有二年多了，但我不曾聽說過有這樣急迫的規定的。」「芝加哥或許不是這樣。」「這裡不也是一樣的工會。」

「是嗎？」史坎倫向他注視著，眼中露出異樣的光來。

麥克滿杜道：「難道這裡不同嗎？」史坎倫道：「這些事我保證一個月內爲你解釋清楚，聽說我下車以後，你曾和警察們鬥口。」「你怎麼知道的？」「在這個地方，不論好的事或壞的事，都容易傳揚開來。」「是的，我照著我的本意，向那一班狗叱責了一番。」「很好，你以後將會成爲麥金提的心腹。」「怎麼？

——難道他也厭惡這些警察嗎？」

史坎倫大笑，說道：「朋友，你一定要去見他，若你不去見他，他所厭惡的便是你了。現在請你聽朋友的忠告，立刻去見他吧。」他說完話，遂站起身來和麥克滿杜告別而去。

恰巧在這夜，麥克滿杜又遇到一項急迫的事情。或許因爲他太注意愛丹，所以老人歇富特也漸漸察覺了。他遂請麥克滿杜到他的私室中去，直接談起這個問題。

他說道：「先生，據我看來，你漸漸愛上我女兒了。可有這事？還是我的誤會？」這少年答道：「是，是有這事的。」

「我向你保證。這事對你沒有什麼益處的。在你未來以前，已有人愛上她。」「是的，她也曾告訴過我。」

「她既已告訴你，你當相信她的話是眞的。她可曾告訴你這人是誰？」「沒有，我曾問她，但她不肯告訴我。」「我想她也不會告訴你的。我想她是不願把你嚇走。」

麥克滿杜大奇道：「嚇走？」「正是，朋友，你若是被他嚇退，也不算是羞辱。這人便是泰特・鮑耳溫。」「這惡魔是什麼人？」「他是斯酷鸞黨的領袖。」「斯酷鸞！我以前常聽說。這裡也有斯酷鸞，那裡也有斯酷鸞，常常有人私語。你爲什麼這麼怕這些人呢？斯酷鸞黨到底是些什麼人？」

他道：「這斯酷鸞黨便是弗利門工會。」這少年聽了，不由得跳起來，道：「怎麼會！我就是弗利門會中的一份子。」

「你是嗎？倘我早知道，我決不會留你住在此地。你即使每星期給我一百塊錢的食宿費，我也不願意的。」

「你為什麼厭惡這會呢？這會中的宗旨是發展慈善，增進友誼，沒有什麼不好。」「在他處或許是這樣，但這裡卻不然。」「此地又怎樣呢？」「這不過是一種殺人的祕密黨罷了。」

麥克滿杜微笑，似乎不信這話。他又問道：「你如何證實呢？」

「證明嗎？何必要證明？凡米賽中殺人案件很多，像密爾梅、萬歇司特、尼哥爾遜一家，還有老海姆先生、小比利・詹姆斯等人，這裡無論男女，沒有不知道的。」

麥克滿杜很懇切地說道：「我希望你收回這些話，或是在我離開以前道歉，你必須在這兩件中選一種。我在此地是作客，不知道別的事情。但我入的會，宗旨正大，沒有什麼邪惡，全國都是這樣的。你卻說這便是『斯酷鸞』，和殺人的祕密黨相同，歇富特先生，你若不向我道歉，總要解釋個淸楚才是。」

「先生，我敢說我的話一點也不假。弗利門會中的領袖，便是斯酷鸞黨的領袖。倘使你得罪這一個，另一個人就會出來報復，我們都有證據的。」

麥克滿杜道：「那不過是流言，我必須得到了確證才肯相信。」

「假如你長住此處，你自己就會找到證據的。但我幾乎忘記你也是會中的一份子。你現在雖行事端正，但不久也要像他們一樣了。先生，你住到別處去吧，我不能再容許你留在我家。我女兒已不幸被斯酷鸞黨人糾纏不清，我怎能再讓第二個人來和她周旋呢？眞的，今夜過後，你不准再住在這裡！」

麥克滿杜淸楚房東已下逐客令，不得不離開這安適的地方，並且又要和他心愛的人分離。夜裡他就到愛丹的房間，見她正一人獨坐室中，遂把一切困難的情形告訴她。

他說道：「你的父親現在已下逐客令了。除了妳，我沒有別的眷戀，我和你認識雖不過一星期，已覺得你是我生命中的全部，我不能離開你而獨活。」

女子道：「麥克滿杜先生,請你不要說了。我不是告訴你，你來得太晚了嗎？已另有一個人愛我，即使我沒有應許嫁他，我也不能應許別人了。」

「愛丹，假使我先向你求婚，我可能得此機會嗎？」

愛丹以手掩著面，嗚咽道：「天啊——眞希望是你先向我求婚的。」

麥克滿杜立刻曲膝跪在她的面前，喊道：「愛丹，請你看在上帝的分上，將我算是先到的人。你難道情願爲了輕輕一諾而犧牲我們兩人一生的幸福嗎？親愛的，照你心裡怎樣去做便是，不必畏怯。」

他把愛丹的玉手，放在自己強壯的褐色手掌之中。

他又道：「我希望你說你將屬於我。我們可以合力抵拒那個人。」「那麼，我們不要再住在這裡嗎？」「我們儘可以住在這裡嗎。」「不，不,雅各,若在此地,他的勢力會把我限制住。我們決不能留在此的。你能帶我遠走嗎？」

麥克滿杜臉上露出躊躇的表情。隔了一會，他好似已決定了。說道：「不，我們仍可以留在此地。愛丹，不論我們在什麼地方，我一定盡力保護你。」「我們爲什麼不能走呢？」「不，愛丹,我一定得留在這裡。」「爲什麼？」「我已被迫離開芝加哥，勢必不能再回去。並且我們怕什麼？我們既在自由國家，難道不能自由嗎？倘使我們兩人的愛情堅定，誰敢離間我們呢？」

「雅各，你是不知道的。你在此地時間不長，你不認得這個鮑耳溫，你也不認識麥金提和他手下的斯酷鸞黨。」

「不，我不認識他們，我也不怕他們，我也不相信他們！我在那些下流人中混過，他們大都要畏懼我，誰敢和我反抗？愛丹，倘像你父親說的，這些人在這地方屢次作惡犯法，人家又都知道他們的姓名，何以沒有一個人受法律的處罰呢！愛丹，請你回答我！」

「因爲他們勢力龐大，沒有人敢出來作證。若敢出來作證，就絕活不了一個月。他們黨員很多，手段狡詐，反能使被告的人無罪，雅各，你以後在報上必會讀到的。我知道各種報紙都有記載他們的案情的。」「是的，我也曾讀過。但我以爲是虛造的故事。但他們做這些事，或許有什麼冤屈憤怒的事情，不得已才如此。」

「唉！雅各，我不願聽你這樣說，那人也是這樣說的，還有別人哩！」

「鮑耳溫嗎？——他也這樣說嗎？」「這就是我厭惡他的原因了。唉，雅各，現在我老實告訴你，我心裡眞厭惡他。我自己怕他，我也爲老父而畏懼他。我知道假使我把我的心思老實告知他，不久便有大禍來臨。所以只有和他敷衍，希望可以緩禍。雅各，但你若能和我一起逃走，我們可以帶了父親同走，遠避到他勢力不及的地方去安居。」

麥克滿杜臉上又現出猶豫不決的神情，不久又毅然決定了。他道：「愛丹，沒有什麼禍殃加到你身上的，你的父親也不要緊。你知道我也不是好惹的人。我若要施出奸惡的手段，可以說是在他們黨人中最厲害的了。」「不，不，雅各，我相信你不會的。」

麥克滿杜苦笑著，道：「天啊！你太不了解我了！親愛的，你天眞爛漫的靈魂，當然猜不出我的爲人。咦，誰來了？」

這時房門開了，忽然有一個少年大踏步走進來，氣勢傲慢，目中無人。他是一個英俊少年，和麥克滿杜的年齡相近。戴著黑色闊邊的帽子，脫帽時，俊美的臉上，有兩道銳利的目光射出來，長著一個鷹鉤鼻。他走進來後，便向那坐在爐邊的一對男女虎視眈眈地瞧著。

愛丹立刻跳起來，走到他的身邊，好似很害怕。

她說道：「鮑耳溫先生，你來得很早。眞高興見到你，請過來坐吧！」

鮑耳溫雙手撐著腰站著，眼光看著麥克滿杜。輕鄙地問道：「這是誰？」

「鮑耳溫先生，這是我的朋友，最近寄居在此的。麥克滿杜先生，我能介紹你和鮑耳溫先生認識嗎？」

兩少年遂各點點頭，但很淡漠。

鮑耳溫道：「愛丹小姐已把我們兩人的關係告訴你了嗎？」「我不明白你們兩人有什麼關係。」

「你不明白嗎？現在你可知道了。這年輕女郎已屬於我。今夜天氣很好，你可出去散步。」

「謝謝你，我不喜歡散步。」

鮑耳溫臉色陡變，眼中發出怒火來，說道：「你不要？客人，你可要決鬥一下？」

麥克滿杜跳到他腳邊，大聲道：「我很願意決鬥，你不必多說什麼話。」

那可憐的愛丹大駭道：「天啊！雅各，啊，雅各，他會對你不利的。」

鮑耳溫狂吼道：「『雅各！』——你們這麼親熱麼嗎？」

鮑耳溫怒道：「你可要決鬥一下？」

「唉，泰特，請你寬恕。你如果愛我，請你饒恕他吧！」

麥克滿杜很快地說道：「愛丹，若你離開這裡，這件事很容易解決。鮑耳溫先生，你可和我一同出去嗎？今夜天氣果真很好，外面當有空曠的場地，我們可一顯身手。」

鮑耳溫道：「我自然有法子解決你，不必汚了我的手。你以後當懊悔，知道你不該到這裡來。」「我可沒有空閒工夫和你多辯。」

「先生，你不必著急，我自有時間，看吧！」他忽然把他的袖子捲起，露出臂上一個火烙印來，外面一個圓圈，裡面有一個三角形，像△⃝式的。「你知道這是什麼意思？」「我不屑知道。」

「你不知道也好。我可以告訴你，你的壽命不長了。或許愛丹小姐能夠告訴你的，但是，愛丹，你以後必要跪著來見我。丫頭，你聽見了嗎？你的雙膝必須跪下來！那時我會給你相當的懲罰，你既種了因，當然要收果。我要看你自食惡果。」他說罷，朝他們怒目而視，反身開門出去，剎那間已不知去向了。

麥克滿杜和那女子一聲不響地面對面站著，隔了一會，她伸開手臂抱住他。

「雅各，你是何等的勇敢！但這事對你沒

有好處。你一定要走，今夜！雅各，今夜，這是你唯一的希望了。他必定會加害於你，我從他兇惡的眼中可以看出。你有什麼能力去抵擋他們那些黨人？還有身主麥金提一干人做他的後盾，你能敵得過嗎？」

麥克滿杜遂放手抱住她，在她額上親了一下，慢慢把她推到椅子上坐下。

「親愛的，我要直說了。請你不要驚嚇，我也是弗利門會的人，我已告訴你的父親了。我也許並不比他們好，所以不要當我是一個聖人。或者你也要討厭我，現在我都告訴你了。」

「討厭你？雅各，我決不會的。並且我也聽說別處的弗利門會並非惡勢力。我怎麼會認爲你是壞人呢？但你若是弗利門會的會員，爲什麼不去見麥金提和他們做朋友呢？啊！雅各，快點去吧。你可以先告訴他，不要反被那隻狗咬啊。」

麥克滿杜道：「我也這樣想，現在我便去打點。你可告知你的父親，說我今夜仍要住在這裡，明天才可搬到他處。」

麥金提的酒肆常常客滿，凡在鎮中的無賴酒徒，都要到這裡來飲酒作樂。至於麥金提，外貌雖然和藹可親，但心機很深，沒有人知道他的祕密。他的勢力很大，鎮內三十哩地，沒有人不畏懼的。

除了他祕密的勢力外，他也是本地一個操大權的參議員，兼路政管理員的職務。這都是他自己的黨羽，想要得到他的寵眷而選舉他的。但是自從麥金提掌權以後，公家的捐稅越見加重，大都搜括到他的私囊中去。並且大行賄賂，路政也是十分的廢弛。鎮上一切事務不但沒有興盛的希望，反而一天天的腐敗。鎮上人民雖知道他的奸宄，但都不敢說什麼。年復一年，麥金提胸前的鑽石別針愈來愈大了，黃金錶鍊也日漸重粗。還有他在鎮中所開的酒肆也逐漸發展，幾有淹吞全市的趨勢。

麥克滿杜推開了店門走進去，見許多人正聚著狂飲。喧囂的聲音和酒味煙氣充滿著全室，直撲鼻來。室中四壁嵌著玻璃，燈光明亮，酒客滿座，非常耀眼。許多著短衣袖的侍者奔來奔去，十分忙碌。客座旁設有長櫃，櫃邊側身站著一個人，嘴裡啣著雪茄，兩眼斜視著衆人，這人就是麥金提。他是一個身軀高大的人，皮膚略顯棕色，像是意大利人。頰邊繞著濃髯，頭髮也蓬亂沒有梳理，披垂到頷邊。眼睛深黑，常用斜眼看人，可以見得他的心術不正。但他也常以假面具待人，裝出好人的樣子，表示他居心正直。所以人家初次和他交往，必不能辨出他的眞假。但他斜視而兇銳的目光，終不能掩飾他的奸惡。大家見了，都覺得心裡有些畏怯。他實在是一個狡猾險惡的可怕人物。

麥克滿杜向他看了一眼，排開了衆人，岸然而入，直走到麥金提身邊。那時有許多人正圍擁著麥金提談笑，極力地諂媚他。這少年客人灰色的目光裡一點也沒有畏懼的樣子。衆人都愕然驚視，麥金提也轉著眼睛瞧他。說道：「年輕人，我雖見了你的面，但仍想不起你是誰。」「麥金提先生，我是新到這裡的。」「你不要以爲是新到的，便這樣胡亂稱呼

麥金提道：「你不要以為是新到的，便這樣胡亂稱呼人。」

人。」

衆人中有一人說道：「年輕人，你當說參議員麥金提。」「我很抱歉，參議員麥金提，我不明這裡的規矩。但有人教我來見你。」「你來見我很好，你想我是怎樣的人？」

麥克滿杜說道：「現在說似乎太早了！但願你的心胸能像你身體一樣寬大，你的靈魂像你面貌慈善，我也沒有他求了。」

麥金提聽了他的話，覺得很奇怪，他竟敢如此大膽。他遂說道：「你竟有這樣愛爾蘭的妙舌。無論如何，就你的外貌看來，我已相信你了。」麥克滿杜說道：「當然。」「是有人敎你來見我的嗎？」「是的。」「誰敎你的？」「史坎倫兄弟。屬凡米賽三百四十一支部。參議員，我向你祝壽，並祝以後我們的交誼長在。」他遂伸手向櫃上取了一杯酒，一飲而盡。

麥金提仔細看他，揚起濃黑的眉毛，說道：「你雖然很合格，但我還要仔細一試。你叫……」「麥克滿杜。」「麥克滿杜先生，這裡人聲嘈雜，不宜多談。請你隨我到後邊去。」

兩人遂走到一間小室裡，四周羅列著酒桶。麥金提遂坐在一個酒桶上面，吸著雪茄，眼睛骨碌不定地看著麥克滿杜。這樣靜默了兩分鐘。

麥克滿杜欣然注視著，一手揷在褲袋裡，一手捻著他自己棕色的鬚。麥金提突然拿出一管手槍。

他說道：「朋友，請看。若你要什麼詭計，你的性命就不保了。」

麥克滿杜莊容答道：「奇怪了！弗利門會的身主，竟是這樣歡迎他會中遠來的弟兄的！」

麥金提道：「你若眞是弗利門會的會員，

快說實話證明，否則你只能求上帝哀憐了。你以前在何處？」「芝加哥二十九支部。」「什麼時候？」「一八七二年六月二十四號。」「身主是誰？」「詹斯・司各德。」「你們地方上的區長是誰？」「白沙羅妙・威爾遜。」「哼，你的話很溜，你到此地做什麼？」「做工，像你一樣。不過是貧窮的職業罷了。」「你確實能應對如流。」「是，我本來說話就很快的。」「你做事可神速？」「我在我的朋友圈裡是有名的快手。」「很好，不久便可試試你，你對於這裡的事可知道？」「我只知道會中必能收留同會的朋友。」「麥克滿杜先生，你的話沒錯。你爲什麼離開芝加哥？」「這事我不能告訴你。」

麥金提忽睜大了他的眼睛。因爲凡人和他講話，從沒有這樣傲然不屈的。現在竟使他暗暗佩服。便問道：「你爲什麼不肯告訴我？」「因爲弟兄們都不可以說謊的。」「那麼，這一定是不可告人的事了。」「如果你願意，也可以這麼說。」「麥克滿杜先生，你不能因爲我是一個身主，就希望我接受一個不能回答出以前事情的弟兄啊！」

麥克滿杜面有難色。他遂從內衣袋中取出一張破舊的報紙。說道：「你能保證不向人洩漏嗎？」

麥金提忿然說道：「假使你再對我說這種話，我的老拳就會打到你的臉上來。」

麥克滿杜遂柔聲道：「參議員，你是對的。我承認我是無心的，我知道我在你的手中是很安全的。請你看這剪下的東西吧。」

麥金提遂接過一看，原來寫著謀殺案。在一八七四年的一月，有一人名強納森・品托被殺死在芝加哥市場街的萊克酒店裡。

麥金提把紙條還給他，問道：「這事是你做的嗎？」麥克滿杜點點頭。麥金提又問道：「爲什麼你要弄死他？」「我幫助山姆大叔私鑄金幣，雖然我們的金子沒有像本來的好，但式樣很好，又極廉價。便由這位品托幫我們去推……」「做什麼？」「就是讓僞幣流通使用。但後來他忽然要拆夥了，或者他眞的要拆夥。但我怕他洩秘，遂殺死他，逃到這裡來。」「爲什麼要逃到這裡來呢？」「因爲我在報紙上讀過，知道在這地方他們不十分注意殺人犯的。」

麥金提笑了笑，道：「你先是私鑄假幣，又殺人。你到這裡來，是想受人家的歡迎嗎？」麥克滿杜答道：「我想或許是如此。」「很好。我看你經驗頗多，你還能私鑄錢幣嗎？」

麥克滿杜從衣袋裡取出幾個金幣來，道：「這些就不是華盛頓廠裡鑄的。」

麥金提伸出巨掌來，接了在燈光下細細審視。說道：「你若不說，我也看不出眞假來。年輕人，你實在是一個有用的弟兄。我們若有二三個弟兄便可合作了。我們做事應當盡力猛進，若一退卻，便沒有立足之地。」「我當然盡我一份子的力。」「你的膽量也很大，我以手槍對你時，你卻沒有畏懼的形色。」「那時危險的並不是我。」「那是誰呢？」

麥克滿杜從他的褲袋裡取出一管手槍來，說道：「參議員，是你啊。我一直瞄準你。我想我若開槍，當和你一樣快的。」

麥金提面色紅漲，有些羞怒，後來忽然大笑。說道：「我好久沒有遇見像你這樣的人了。現在你能加入，很好。但你來此，可有什麼要求？我不輕易單獨和一個人講話超過五分鐘的，現在卻爲你而破例了。」

這時酒保忽然走了進來，道：「參議員，我很抱歉來阻斷你們的談話。但因鮑耳溫先生在此，他說此刻必定要見你。」

其實也用不著通報了，那兇惡的面孔，早已探進室來。他走到了酒保的身旁，連忙把他推出去，順手關上了室門。

這人怒目對麥克滿杜看了一眼，道：「你倒先來了！參議員，我便是爲了他，有話要和你說。」

麥克滿杜道：「我在這裡，現在你不妨當著面說。」「我自有我說話的時候，不要妳管！」

麥金提立刻從酒桶上跳下說道：「不可，不可，鮑耳溫，我們有一個新弟兄在這裡，我們不可這樣對待他。伸出你的手來和他握手吧。」鮑耳溫怒道：「我不要！」

麥克滿杜說道：「我已和他說過。假使他很討厭我，我可和他決鬥。不論何種鬥法，我任憑他選擇。參議員，你是身主，請你代我們評斷吧。」「那麼，爲了什麼呢？」「爲一個年輕的女子，她有自由去選擇她所心愛的人。」

鮑耳溫道：「她能這樣做嗎？」麥金提道：「我想若都是我們會裡自己的弟兄，當然不妨讓她自由選擇」「呸！那是你公平的法律嗎？」

麥金提惡狠狠地看著他道：「泰特・鮑耳溫，當然是。你要爭論嗎？」

「你竟偏袒新來的人，而情願放棄五年相共的老友？麥金提，你不會永遠做身主的，上帝有靈，下次選舉時……」

麥克滿杜過去拉住麥金提的手臂，說道：「參議員，看在上帝的分上，饒恕他吧。」

麥金提才把手鬆開，鮑耳溫勉強站起，臉色青白，四肢顫抖，喘息不止，仍呆坐在酒桶上面。

麥金提像老虎般撲到他身邊，兩手扼住鮑耳溫的脖子，直推到酒桶上去。倘使麥克滿杜不

麥金提兩手扼住鮑耳溫的脖子

來解勸，在他盛怒之下，鮑耳溫一定沒命了。

麥金提揭起他的巨臂，說道：「泰特・鮑耳溫，你太久沒領略我兩膊的滋味了。你想要摒斥我，好讓你做身主，眞是無知。只要我一天在職，自有我的權威，不會讓任何人違抗我的命令的。」

鮑耳溫以手撫摸著咽喉，低聲道：「我沒有違抗你啊！」

麥金提聽了，立刻面色和悅。說道：「那很好。我們仍是好朋友，這事可算完了。」

他遂從酒架上取下一瓶香檳酒來，開了塞子，倒滿了三隻大玻璃杯。接著說道：「我們大家喝一杯酒，以後就當沒有交惡。我方才的事，鮑耳溫先生，你還要記在心上嗎？」鮑耳溫答道：「雲霧仍罩著。」「但即將永遠光明了。」「我發誓，但願如此。」

麥金提立刻舉杯，兩人也舉起杯來，大家一飲而盡。

麥金提搓著手，說道：「前怨都解釋了。以後行事，必要遵守會章。鮑耳溫兄弟，會中約法很嚴，你是知道的。麥克滿杜兄弟，你若性喜惹禍，不久也會知道。」

麥克滿杜道：「我當然要服從。我是容易

起爭執，也容易忘仇的人。人家都說這是我們愛爾蘭人的特性。現在一切都過了，我不會介意的。」他說著，伸出手來，向著鮑耳溫。

鮑耳溫勉強和他握了握手，因爲麥金提正目光灼灼向他注視著。但他悻悻然的面貌，可知他並不曾被麥克滿杜的言語所感動。

麥金提輕輕拍著他們兩人的肩膀，說道：「罷了，這些女人好似無底的陷阱，眞是害人的東西，近了定要遭滅頂的禍殃。我雖是身主，也難干涉你們的事，但我們已受過這禍了，你們當各自警惕。麥克滿杜兄弟，你可以加入這裡的三百四十一支部。但會中的規矩和芝加哥的有些不同。星期六夜裡，我們有個聚會，你若能來，我們就可以讓你在凡米賽地方自由行事了。」

第三章　凡米賽三百四十一支部

這多事的一夜過去了。隔天麥克滿杜便從歐富特老人處，遷移到寡婦美克娜馬拉家中，那地方在鎮上最遠處。他在火車中遇到的朋友史坎倫，不久也遷到凡米賽來，兩人遂同寓而住。屋中並沒有別的寄宿者，這女主人是一個很容易應付的愛爾蘭婦人，年紀已老，不多干涉人家的事，所以他們兩人的言語舉動，也用不著守祕。歐富特老人自從逐客以後，知道麥克滿杜沒有大惡，遂邀請他到他家中去，時時留他吃飯，因此他仍可和愛丹常常見面。一星期一星期的過去，兩人的愛情不但沒有間斷，反見濃厚。麥克滿杜又覺得他自己的居室很安全，沒有顧忌，遂拿出他鑄幣的銅模來，請會友們前來觀看。他又把假幣的樣品送給他的同伴。所以在麥克滿杜室中進進出出的人，袋中常有金幣叮噹聲。他製的假幣很精妙，拿來花用，都沒有被覺察。照理麥克滿杜既有這種技能，大可安坐而食，不必再出來做什麼工。但麥克滿杜仍舊不肯稍息，大家覺得很奇怪。但據麥克滿杜說，警署中人正在背後偵查，假使他坐食不做事，更會引起他們的懷疑。

麥克滿杜常在晚上到麥金提酒肆中聚飲，大家都稱讚他的英勇果敢，並且滔滔不絕無所顧忌的言談，很能壓倒衆人。但還有一事，使他的名氣更響亮。

一夜，衆人正在肆中歡呼暢飲，忽然店門開了，有一個穿著藍色制服的人闖進來。衆人眼光都注視著他，知道那是煤鐵礦場的特務警察。這班警察是用來幫助一般警察的。因爲凡米賽地方盜匪猖狂，各處都有歹徒，礦場主人因此另組一班特別警察隊來。這時那警察踱進門來，大家都斜視看他，四周頓時安靜下來。但麥金提仍很安閒地站在櫃枱內，並不在意。因爲在美國，警察和罪徒的關係與他處不同，警察常常和他們並桌而坐，並不稀罕的。

那警察說道：「今夜天氣很冷，請給我威士忌酒。參議員，我想不起以前見過你嗎？」麥金提道：「你是新來的嗎？」「不錯，參議員，我是特地來看你的，還要去看別的領袖，請他們幫助我維持城中的秩序。甲必丹．麥文是我的名字。我是來保護煤鐵礦場的。」

麥金提漠然說道：「甲必丹．麥文，我們這裡很好，用不著你們來維持。我們城中自有我們的警察，你不過是被資本家雇來欺壓善良小百姓的，那有什麼用呢？」

麥文笑道：「我們也不用辯論。希望我們都照著本分做事就好了。」他喝完了酒，起身要走，忽然一眼看見了麥克滿杜，撐著腰怒容而立。遂對他上下仔細端詳，忽然喊道：「咦！咦！這裡有一個老相識。」

麥克滿杜怫然道：「誰認識你？我始終沒和你做過朋友。」

麥文大笑道：「相識的不必定是朋友。你是芝加哥的雅各．麥克滿杜，不會錯的，你也不必抵賴。」

麥克滿杜聳動兩肩，說道：「我不必抵賴。你認爲我的名字有什麼羞恥嗎？」「無論如何，你的確有些不可告人的事。」

麥克滿杜握著拳頭，吼道：「魔鬼，你說這些話有什麼意思？」

麥文道：「無論如何，你的確有些不可告人的事。」

「雅各，不要這樣，不必對我發怒。我到這煤鐵場以前，本是芝加哥的警官。芝加哥的犯法黨徒，我一看便認識的。」

麥克滿杜臉色立沉，喝道：「莫非你是芝加哥警察總署中的麥文？」

「正是從前的梯泰·麥文，我們還沒有忘記強納森·品托的謀殺案哩。」「我沒有殺他。」

「你沒有嗎？那時不是證據確鑿嗎？但那人一死，你反而有好處，不然，你早就被捕下獄了。現在這事早已過去，和我也沒有什麼關係，你也可回到芝加哥去，沒有人會和你爲難了。」「我隨便在什麼地方都好。」

「我已告訴你一切的事，你卻像發怒的狗，也不謝我。」

麥克滿杜道：「我想你也許出於好意，眞要謝謝你。」他說時很冷淡，似乎不十分恭敬。

麥文道：「我希望你以後能好好地住在這裡，我也代你永守祕密。若你再要做什麼別的事情，我就沒那麼容易放過你了。再會吧，晚安——參議員，晚安。」

他走後，麥克滿杜在本地就成爲大英雄。因爲麥克滿杜過去的事，大家私底下都很好奇，麥克滿杜卻常一笑置之，好像不放在心上。現在這事偶然有人說出來，衆人遂圍繞著他，一一和他握手。從此之後，他在會中更是自由。他酒量本來就好，但在那夜喝得酩酊大醉，若沒有他的同伴史坎倫纔扶他歸去，那麼，這位愛爾蘭英雄，必要在酒槽裡過夜了。

在星期六夜裡，麥克滿杜被介紹到會裡來。他以爲自己是芝加哥的老會友，沒有什麼繁文縟禮的。但凡米賽會中的規矩和芝加哥特別不同，這夜餐會在一間很大的室中，是會所裡特地預備的，大約有六十多個會友。但這些還不是凡米賽全體的會員，因在凡米賽山邊還有幾處會所。平日會友們散在各處，一有緊急的事，便互相聯絡，所以犯罪作惡的事，都教一些在地方上大家不大認識的人去做。總共有五百多會友四散在這出產煤鐵的區域。

室中有一張很長的桌子，桌旁另有一個小桌子，上面放著瓶瓶罐罐以及食物，有幾個會員已是虎視眈眈注視著。麥金提坐在首席，戴著黑絨帽，頸邊圍著紫色披肩，表情嚴肅，宛如主持典禮的祭師。他的左右兩邊，都是高級會友的座位。俊美而帶兇惡狀貌的泰特·鮑耳溫，便坐在中間。這些都是上年紀的人，照他們的狀貌看來，都是生性兇殘的人。襟前都掛著徽章，用來分辨他們各人所掌管的職司，其餘都是少年，這些人年輕力壯，尤其嗜好鬥殺。他們都以爲前途光明，應當奮力進步，遂奉那些殺人的老鷹做導師，不論什麼天大的事情，都做得出來。每逢殺死一人，大家爭著承認爲禍首，以爲榮耀。起初他們做事還嚴守祕密，隔不久，根基堅固，勢力擴大，遂藐視法律，不以爲意。倘有人失敗，他們也能找到辯護的人，想法使他無罪。所以十年來都安然無患。不過有些人知道他們黨徒的厲害，不但極力防備，保護自己的性命，並且常有反抗等事情。斯酷鸞黨對於這些人，也有些畏懼。

麥克滿杜見會中異常嚴肅，似乎要舉行什

麼典禮，但沒有人告訴他。有兩個狀貌嚴肅的弟兄，引他到外室裡去。透過隔板可以聽到隔室中竊竊私語，有一二次提起他的名字；知道他們正在議論他。這時有一個宣令的人，肩上披著金綠色相間的披巾，走進室來。

他說道：「身主有令，你應當綁住雙手，蒙住雙眼而進。」三個人遂過來把麥克滿杜的外衣脫下，把他的右臂袖管捲起，又以繩在他兩肘上緊緊捆綁。再以一頂黑色的厚帽罩在他的頭上，讓他看不到東西。他遂被他們引到會場裡。

這時他已一無所見，但聽得見四周說話的聲音。只聽麥金提一出聲，頓時一片寂靜。

麥金提說道：「約翰．麥克滿杜，你可是已做過弗利門會的會友了？」他鞠躬應諾。「你可是屬於芝加哥二十九支部？」他又鞠躬。又聽聲音說道：「黑夜沒有快樂。」他答道：「在異地旅行的人，尤其沒有快樂。」「雲勢已盛。」「是的，雨將近了。」

身主問道：「衆位弟兄可滿意嗎？」便聽到會衆都發出贊成的聲音。

麥金提道：「兄弟，在你的言語和口號上，我們已承認你是同會的人。但我們這裡另有一種禮節，和別處不同。你預備要試試嗎？」「要。」「你眞的很勇敢嗎？」「是。」「請你走前一步，證明你的勇敢。」

這話剛說過，忽覺有兩個尖銳的東西，直抵到他的眼前。如果向前，一定會有危險。他不顧什麼大踏步走上去，但那尖銳的東西立刻退回去。遂聽見會衆讚嘆的聲音，似乎佩服他的勇敢。

又聽到有聲音說：「他眞是勇敢不屈的

人。但你能忍受痛苦嗎？」他答道：「可以的。」

「試試他！」

麥克滿杜覺得有一種東西直刺在他的臂上，痛徹心肺，驟然間幾乎暈倒。但他咬緊嘴唇，握著拳頭，極力忍痛。他說道：「再厲害的我也能忍受。」

麥克滿杜覺得有一種東西直刺在他的臂上

這時讚美聲四起，初到的弟兄，有如此好評的在會中還是頭一遭。大家過來拍拍他的背。接著罩著的黑帽子已取去了，他微笑著站在弟兄們的歡賀中間。

麥金提道：「麥克滿杜兄弟，還有最後的一句話。你已立誓遵守會中的信約和祕密，但你也當知，若有不忠心的地方，是格殺勿論的。」

麥克滿杜道：「我知道。」

「你對於身主的一切命令，無論在何種情形下都接受嗎？」「完全接受。」

「那麼，我代表凡米賽三百四十一支部全體人員歡迎你入會。史坎倫兄弟，你把桌上的酒杯倒滿酒，我們當爲這寶貴的弟兄慶賀。」

麥克滿杜雙手鬆綁，著上外衣，覺得右臂上仍是作痛。遂伸起來察看。見臂上已烙有一個△⃝形的印，很深且是紅色的。大家見了，就有一二個會友也揭起衣袖來，露出臂上的記號給麥克滿杜看。

一個人道：「我們都有這種暗號的，但受烙的時候，卻不能都像你一般勇敢。」

他說道：「烙的時候雖痛，但我能忍受。」

沒有什麼要緊。」

飲酒完畢，大家開始討論會中的事務。麥克滿杜在芝加哥黨會中已習慣無聊的聚會場面，現在他凝神靜聽，臉上露出驚異的樣子。

麥金提說道：「今天第一要務，是讀從滿登府二百四十九支部身主溫德爾寄來的信。他說：『身主麥金提，這裡將要開始和司特·馬希煤礦場主安德萊較量。你們當記得前次你們反對警察，我們曾派兩個弟兄前去幫忙。若你們這一次也肯送兩個弟兄前來，可到會中司計海琴斯處接洽。那邊的地址，你也早知悉，他將指點他們怎樣行事的。溫德爾』前次我們曾請他們幫助，現在我們照理不能不去了。」麥金提說罷，目光斜視到室中。向衆會員瞧著，又道：「誰願意前去？」

有幾個少年舉起他們的手來。麥金提對他們瞧著，臉上露出笑容，似乎大爲讚許。

「考梅克，你可去。倘你能像上次做得一樣好，一定不會失敗的。威爾遜，你呢？」

威爾遜是一個年輕的小孩，他說道：「我沒有手槍。」

「這是你第一次的嘗試。是不是？你將來當做流血的事，這是你很好的起步。至於你沒有手槍，其實手槍是在等著你。你可在星期一報名領取。你回來時必會得到會衆大大的歡迎。」

考梅克問道：「這次可有酬賞？」他是一個有力的少年，狀貌猙獰可怕，生性殘酷，因此得到一個「老虎」的別號。

「不必在意獎賞。你們當爲得到榮耀而做事，事成後或者也有獎金。」

年輕的威爾遜問道：「那人究竟有什麼

罪？」「這不是你應當問的。他總有充分的理由，那不干我們的事，我們只要聽他們的旨意行事。即便是他們前來，也是一樣聽我們的命令。講起這事，下星期他那裡也有兩個人會到這裡來行事。」

一人問道：「他們是誰呢？」「你最好不要去問。這事不可洩漏，他們是前來一同做事的。」

泰特・鮑耳溫喊道：「還有，上星期，我們有三個弟兄被勃雷克欺負，沒有報復，他早該得到教訓了。」

麥克滿杜低聲問他的鄰座道：「得到什麼？」「這人大笑道：「槍彈罷了。兄弟，你認爲我們做事如何？」

麥克滿杜身處罪惡叢中，被惡燄所薰染，似乎已被同化，說道：「我喜歡這裡，這正是壯士用武的地方。」

衆人坐在四周聽了他的說話，又稱讚他。麥金提在桌子盡頭問道：「做什麼？」「身主，這位我們新來的兄弟，他很同意我們做的事。」

麥克滿杜站起來，道：「身主，我願說，若有用我的地方，我必以爲榮耀，爲本會出力。」

大家見他這麼勇敢好似初出的旭日在地平線上升起，大大稱讚。但是有幾個老會友，見他這樣急進，卻不以爲然。

有一個鬚髮灰白的老人——書記哈萊惠——說道：「我認爲麥克滿杜兄弟須耐心靜候，會中如有用你的時候，再出力。」麥克滿杜說道：「我當然聽命。」

麥金提也說道：「兄弟，不久便有用你的時候。我們已深知你是一個願意出力的人，我們也相信你必能爲會中增加聲譽。若你高興，今夜還有一些小事，你可一同前去。」「我願等候更有價值的機會。」

「無論如何，今夜你可前去，也讓你知道我們黨徒怎樣做事的。」他又看看手中的記事，說道：「我繼續報告下去，還有兩件事情，要在會裡宣布。第一要問司庫，我們會中的基金是否充足？吉姆．卡納惠的遺孀應當發給撫恤金，因爲他在會中因公殉職，我們當接濟他的妻子。」

麥克滿杜鄰座的一個人告訴他道：「吉姆是在上月去謀刺啓司特．威耳考克斯而反遭毒手的。」

司庫取出存款簿來報道：「現在積蓄很豐富。前天美克斯．菱段公司匯送五百元來，華克兄弟也交出一百元；但我嫌他出得太少，所以已還他，要他付出五百元。假如到了星期三他還不繳，我們便焚毀他們的機輪，讓他知道我們的厲害。還記得去年他們也有反抗的事，我們先去搗毀他們的冶鐵爐，他們才肯甘心繳款。此外，又有西部煤礦公司的年款也已繳淸，所以資金充足，可以應付。」

一個弟兄問道：「亞吉．司溫登現在怎樣了？」「他已賣去他的產業，離開了。這老魔曾留一封信給我，大略說，他寧可在紐約做一個自由的苦力，也不願在這裡做大礦主，受強暴凌壓。他口出狂言，我接到他信時，卻便宜地讓他先走了，我想以後他也不敢再到這裡來。」

又有一個人問道：「司庫先生，我想問，他走了，誰接收他的礦產的？」「馬列師兄弟，他的礦產已被滿登鐵路公司購去了。」「去年托特門和李氏的礦產，被誰家購去的？」「馬列師兄弟，也是這鐵路公司購去的。」「最近的梅生、休門、樊地亞、阿特和特等鐵廠，又被誰買去的？」「都是西乾耳·滿登礦務總公司購去的。」

麥金提這時說道：「馬列師兄弟，我不明白你爲何要這般詳問。我們不管誰得的，他們終不能帶了出境，逃出我們的勢力範圍啊！」

「身主，我是十分敬重你，但我想這事和我們很有關係。十年以來，我們一步一步的進行上去，我們幾乎已把許多的小資本家驅逐乾淨，但結果是怎樣呢？那些鐵路公司和煤鐵公司等，他們的廠主都在紐約或是在費城等地，不怕我們的恐嚇。我們雖可趕走經理的人，但早晨去了一個，晚上又來了一個，我們也奈何不了他，我們自己反會有危險。那些小資本家，反而對我們沒有害處，他們既沒有勢力，又沒有錢財。假使前次我們對待他們的手段不那麼苛刻，他們還是會留在此地，懾伏在我們的勢力之下。但那些大公司見我們妨礙他們的利益，一定會斷絕我們的財源，我們便要不戰而自敗了。」

會衆一聽他的危言悚詞，都覺得有些不安，懷著隱憂。然而他們久居在罪惡裡，惡根已深，不會被幾句話說動的，所以略一轉念，反覺得他的話討厭了。

馬列師仍接續說道：「這是我的忠告，我們以後應當稍用平和的方式來對待那些小資本家。若是他們都被逼走了，我們在這社會裡的勢力也要瓦解了。」

這忠實的話，無法得到大家的歡迎。馬列師說完歸座時，有些人都怒聲呼叱。麥金提也豎起眉毛，陰沉不悅。

他說道：「馬列師兄弟，你的話像鴉叫般沒有吉兆。我們黨會歷年來，在美國絕沒有任何勢力可抵抗。我們不是常在法庭上和人決勝嗎？我希望那些大公司要覺悟，甘願像小公司般滙款給我們。若和我們決鬥，沒有益處的。」——麥金提說到這裡，把他戴的黑絨帽子脫下，又把他的外衣脫去——「現在會議結束，只有一件小事，不妨在散會時再提議。我們可以舉杯痛飲，盡歡一場。」

人的性情很奇怪。這裡的人都是生性好殺，沒有天良，絕不會想到孤兒寡母是最慘的事情。但一聽悠揚婉轉的歌聲，他們也要感動，甚至落淚的。麥克滿杜的歌喉很好，很受大家歡迎。他遂接著唱「瑪麗，我坐在牆上。」和「亞倫河邊」兩首。所以麥克滿杜雖是第一次聚會，已獲得大家熱烈的歡迎，覺得這個新進少年，實在是弗利門會中不可多得的人才，大家爭相敬他威士忌酒。酒酣時，那身主又站起身來向衆會友報告。

他說道：「諸位弟兄。這裡還有一個人應當除去，你們知道了，也會說他是應該除掉的。這人叫詹姆斯·司丹權，是礦區中的新聞主筆，你們應已見過他怎樣開口反對我們的吧？」

這時有大家贊成的聲音，有許多人加以咒罵。麥金提從他的腰袋裡取出一張報紙來。

『法律與秩序』這是他最近抨擊我們的著作：『近來礦區各地，盜風大盛。我們會發現，在十二年前，當第一次殺人案發生之後，就時常有暴動發生。直到現在，藐視法律，擾亂地方秩序的事，更覺猖獗。我們當初容留那些從歐洲來的亡命之徒，可曾想到會有這個結果呢？他們竟對容留他們的主人，施以強暴手段，而使這地方綱紀廢弛。這些劫財殺人的事，我們讀歷史的，知道這在東方野蠻國家或許有，現在竟在星條旗下如此猖狂，豈不是可恥？

這些人大家既然都知道，豈能一直忍受下去呢？我們能永久……』夠了，這種狂言，我也不必再讀下去了。」他把報紙抛在桌上，又道：「那是他對於我黨的報導。現在要問你們的，就是我們要怎樣對付他？」大多數的會友喊道：「殺死他。」

那個慈善面貌的馬列師兄弟又站起來說道：「我反對這種舉動。兄弟，我告訴你，我們在這地方所施的手段太殘暴了。他們勢必聯成一氣，與我們對抗。詹姆斯·司丹權是一個長者，這裡的人都敬重他，他發行的報紙在這裡也很有勢力，倘使這人被我們殺害了，必將震驚全國，得到不良的影響。」

麥金提喝道：「懦夫！誰敢毀滅我們？警察嗎？他們大半受我們的賄賂，還有一半是怕我們的。難道法律要來裁判我們嗎？我們以前也曾試過，結果呢？」

馬列師兄弟道：「法官林區很剛正，或許會來干涉我們。」大家聽了他的話，都發怒地大喊大叫。

麥金提說道：「只要我伸出我的手指來，至少能夠結束城中二百人的生命。」他說完，怒目揚眉，又大聲高喊道：「馬列師兄弟，我早已注意你了。你自己是個膽怯的人，還要恐嚇弟兄們。我要立刻除掉你，送你上西天。」

馬列師立刻面色灰白，兩腿顫抖，頹然倒在椅中，顫顫地舉起酒杯來喝了一口。

「身主和諸位弟兄：我若有說得不對，請你們寬恕。你們素來知道我是忠心的會友，剛才也是，我是擔心會裡將有什麼危險，所以不覺說出這些話來。身主，我十分信任你，我以後再也不敢得罪了。」

麥金提聽了他謙卑的話，臉上的怒氣漸漸消失。

「馬列師兄弟，很好，我也很不願對你有什麼舉動。我領導的時候，希望我們會中的言行必須一致。」他又看到四周的弟兄，接下去說道：「我說司丹權雖然該殺，但我們現在還不能結束他的性命。假如把他害死，他們新聞界中聲氣相通，勢必協力攻擊我們。但我們不妨給他一些嚴厲的警告。鮑耳溫兄弟，這事你可擔任嗎？」

這少年人很熱烈地說道：「當然。」「你需要幾個人一同去？」「六個人就夠了，兩個人守門。岳安和梅賽爾，你們可以同去，史坎倫和韋廉培弟兄也請前往。」

麥金提說道：「我建議新來的弟兄前去。」

泰特．鮑耳溫惡狠狠地瞅著麥克滿杜。他的眼神似乎透露和麥克滿杜的前隙還沒消除。

他冷冷說道：「他若願意，不妨同去。事不宜遲，越快越好。」

於是會衆或有歡呼的，或有唱歌的，四散開去。但酒肆中仍有許多人留著。這受命令的一小隊人走到街上，兩三個分開了走，不讓人注意。這是一個很冷的夜晚，半鉤月亮高掛天空。這些人走到一座高屋前停下來，在那明亮的玻璃窗上，印著金色大字，「凡米賽新聞社」，裡面有印刷機輪轉動的聲音。

鮑耳溫對麥克滿杜說道：「你可站在這裡守住大門，不要讓退路斷塞。韋廉培可和你一起守，其餘的人跟我上樓。你們不要膽怯，弟兄們，因爲我們此時有十多個辯護的人在這裡，不礙事的。」

這時將近夜半，街上行人已少，只有一二

個醉漢腳步踉蹌地走回家去。鮑耳溫遂和衆人走過街去，開了報館的門，衝了進去，跑上對面的樓梯。麥克滿杜和他的同伴留在下面。不久就聽樓上有呼救的聲音，還有淩亂的腳步聲，和桌椅翻倒的聲音。有一個頭髮灰白的老人從室中奔出，想逃奔下樓。但走不遠，已被鮑耳溫擒住。大家也已奔到，亂棒齊下。麥克滿杜跑進去，老人的眼鏡正掉落在他的腳邊。老人受了棒打，氣喘不止，手足震顫，衆人遂停手。但鮑耳溫仍是獰笑，舉杖敲到老人的頭上，老人用手抵擋，但已著了一下，血從頭髮裡湧出。鮑耳溫還要舉杖打他時，麥克滿杜遂奔上樓梯阻住他，說道：「你快打死他了，快把杖放下吧！」

鮑耳溫很驚奇地看著，道：「該死，你是新進會的人，怎敢阻止我行事？退後。」他說罷，舉起杖來，但是麥克滿杜也從他的腰袋裡取出手槍。

他說道：「你自己退後吧，你若再動手，我馬上開槍。身主不是有命令不要弄死這個人嗎？你爲什麼要打死他呢？」衆人中有一人也道：「他說得沒錯。」

樓下的韋廉培喊道：「不好了！，大家快走吧！各家窗戶的燈光都亮了，再過五分鐘，全城的人都要來追捕你們了。」

這時街上果有人聲，有些編輯員和排字人在下面房間裡也已感覺到了。那些罪犯遂拋下這個僵臥的老人，很快地奔下樓，逃到街上。有幾個人逃到麥金提的酒肆裡，雜坐在衆人裡面，報告這事的成功。麥克滿杜和其他人則奔到另一條街上，從小路回到自己的住處。

第四章　恐怖谷

隔天早上麥克滿杜醒了，想起入會時的一切情形。因酒喝得多了，頭腦隱隱作痛。受烙的臂上也紅漲作痛。他既有了特別的收入來源，遂不喜歡照常去做工了，所以他早餐吃得很晚。這天早晨留在家中沒出去，寫了一封極長的信，寄給他的朋友。之後遂讀每日新聞，見特刊欄中載著一則：「報館有暴徒擾亂，主筆受重傷。」這一段簡短的記事。他讀了，覺得他自己倒要比記者來得明瞭些。報導最後結論卻說道：

「這事現在雖已歸警署辦理，但以前積案未破的很多，這事能不能破獲，也不一定。這次行兇的人，面貌多半熟識，或者因此可以得到線索。暴動的主謀就是這些潛伏在社會中好多年的祕密會黨，司丹權先生所主撰的報紙，極力與他們作對，因此導致這種攻擊行動。司丹權先生雖然受重傷，但並沒有生命危險，他的朋友必定高興聽到這消息。」

以下遂說報館裡已請到一個煤鐵區的警察武裝保護。

麥克滿杜把報紙放下，用火點著煙猛吸，但手臂因昨晚的烙傷，而不停地抖動。這時外面忽有敲門的聲音，房東太太送進一封信。說是一個小孩送來的，信上沒有署名，只說：

「我有要事和你一談，但不能到你的府上來。我們可在密勒山小亭旁相見。倘你現在可前來，我有事要告知。」

麥克滿杜把信讀了兩遍，覺得非常奇怪，

因他不知道是誰寄來的？或是有什麼用意？而且不像婦人寫的，可知並非他的愛人愛丹所寄。這是男子寫的，且文句通順，是個受良好教育的人。他躊躇了半刻，決定自己去看看。

密勒山是鎮上一個荒廢的公園。在夏天，鎮上人常到這裡來乘涼，但冬天便人跡稀少，十分荒涼了。從山頂上望下去，可見全鎮的風景，有鐵廠和採礦的工場，綿延過去，山頂兩邊的雪，都被汚染成黑色的。麥克滿杜從長青樹叢曲折的小徑中，走到一座亭子裡，那亭子在夏天時，常有些小販來歇息。在亭邊有一個人把帽子壓得很低，外衣的衣領也拉得很高。當時他正好回過頭來，麥克滿杜認出他是馬列師兄弟，就是前夜觸犯身主的人。當下兩人相見，交換了一個黨會的暗號。

這老人說道：「麥克滿杜先生，我有話要告訴你，難得你能來。」他說時，很躊躇，露出怯弱的樣子。麥克滿杜道：「你爲什麼信上不寫名字呢？」

「先生，我覺得應當謹愼些。這裡危機四伏，隨時可能招禍。並且不知道誰可靠，誰不可靠。」「會中的弟兄們當然是可靠的。」

馬列師斷斷然說道：「不，不！不是一定的。我們說什麼、想什麼，似乎都會被麥金提知道。」

麥克滿杜臉色立刻變得很嚴肅，說道：「請留意，你已知道我在昨夜已立誓服從身主。你要來說動我背叛信誓嗎？」

馬列師很憂愁地說道：「倘你這樣想，我很抱歉，讓你白走一趟了。兩個公民不能面對面說話，發表他們的自由思想，這不是很糟糕嗎？」

麥克滿杜仔細觀察他的同伴，不覺也有些忐忑了。

他說道：「眞的，我只爲我自己著想，我是一個新來的人，這裡的內幕怎樣，我一點也不知道。馬列師先生，你若有什麼話要向我講，我在此洗耳恭聽。」

馬列師冷笑道：「然後去告知麥金提。」

麥克滿杜說道：「你眞是以小人之心度君子之腹。我雖然忠心於黨會，但生性直爽，不喜歡阿諛。我若把你告訴我的話，再去和別人說，那我眞是無恥的禽獸了。不過，我警告你，你不要指望得到我的同情或幫助。」

馬列師道：「我何必要他人來相助？我現在把我的性命交託在你的手中。我之所以要對你說，因我見你生性勇敢而剛直，若和他們一同作惡，將來一定要成個大惡的人，現在你的良心還沒有完全泯滅，或許可以被感化，這全靠你自己了。」「很好，你要說什麼？」「倘你洩祕，一定會受咒詛的！」「當然，我已說我決不洩漏的。」「那麼，我問你，當你進芝加哥弗利門會時，立誓忠心會務，你腦中可是有意要犯罪作惡的意念？」

麥克滿杜答道：「你說犯罪作惡嗎？」馬列師大聲說道：「就是犯罪作惡！你還不明白。昨夜，你們把這老人打得頭破血流，不是罪惡嗎？這若不是罪惡，你以爲是什麼事呢？」

麥克滿杜道：「這是尋常私鬥，當然兩邊各盡全力鬥毆。」

「你在芝加哥的弗利門會中，可有這種事？」「不，我從來沒有做過。」

「我在費城入會時，也不是這樣的。只知這是有益的黨社，聯絡友誼的團體。後來到這裡，始知道這是殺人劫財的祕黨。若是我一人前來，倒也還好，但我的妻子，還有三個小孩一同前來。我起初在市鎮上開一家雜貨舖，頗有盈利，但不久就被他們知道我是弗利門會的會員，遂強逼我入會，和你昨夜一樣。我臂上受了這羞辱的烙印，我良心上也大受譴責。我覺得自己已陷身在罪惡裡。我該怎麼辦呢？我每說些好話時，他們便認爲我是奸細，昨夜的情景你也知道了。我一生所有盡在店中，我又不能遠去。若我要脫離，必被他們謀害，我的妻子勢必難以過活。唉！朋友，這是可怕的！可怕！」他以手掩面，身軀震顫，竟哭出來了。

麥克滿杜聳聳他的兩肩。

馬列師又道：「我的良心和宗教觀念，還沒有喪失，但他們要我做罪惡的事。假使我退縮，自然大大不利。我或許是個懦夫，或許我是顧慮到我妻子的緣故。但無論如何，我還是去了。以後我想我必常常被派出去作惡，我既受命，遂跟著衆人來到一個小村，離開這裡大約有二十哩路，在山的那邊，很冷清。他們令我守門，像你昨天一樣，因爲他們還不能相信我。別人遂進去，等到他們出來時，他們的手腕上都沾帶著罪惡的血。當我們離去時，有一個小孩在我們後面哭著奔出門來，那是個五歲的小孩，目睹他的父親被人刺死。這時我心中十分難過，幾乎暈去，但我仍帶著笑臉，裝出勇敢的樣子。因爲我若不這樣，我知道他們不久也要到我家裡，帶著血手回去，而我的小孩弗蘭特也要哀哭他的父親了。但我已失足在罪惡之中，以後勢必難脫身遠離了。我是一個善良的教徒，神父若知道我已進了斯酷爾鷥黨，他也沒有話可說了。那是我在此地的情形。我問你，將來結局是怎樣呢？你是要殺人越貨不動於心？還是我們想法停手？」

麥克滿杜突然問道：「你想怎樣呢？莫非你要向警署告密？」

馬列師道：「上帝也不許的。我假使有這種想法，我的性命也將不保了。」

麥克滿杜說道：「那很好。我想你是一個膽小的人，所以把這事看得太嚴重了。」

「看得太嚴重了？你若住得久一點便可知道。你看到山谷之下，幾百個煙囪排列著，黑煙如雲，勢將遮天。我要告訴你，這裡殺人行兇的惡燄，比雲來得濃厚，低垂到人們的頭上。這是恐怖之谷，這是死亡之谷！從黑夜到天明，居民的心中，都是驚恐不定。等吧，少年人，你自己會知道的。」

麥克滿杜淡然說道：「很好，我見得多了，我會讓你知道我怎麼想。總之，你不配在這裡，你最好賣掉你的產業。至於你說的話，請放心，我不會說出去。但我若發現你是一個探刺祕密的人……」馬列師誠實地說道：「不，不。」

「我們就談到這裡。你說的話，我會記在心上，或許將來我會再見到你，希望你還會這樣好意待我。現在我要回去了。」

馬列師說道：「在你走前，我還有一件事。我們在此講話，難免不被人看見，他們或許要問我們說了什麼。」「不錯，這一著想得很周密。」「我就說要請你到我店裡做司計員。」「我說我不答應了，便算是我們來此的目的了。」馬列師兄弟，希望你將來能得到好的機會，再會了。」

這天下午，麥克滿杜正吸著煙，坐在他休息室的火爐邊，細細思考。忽然門開了，走進一個龐大身軀的人，正是身主麥金提。他做了一個暗號，坐在這個少年的對面，對他凝視了良久。麥克滿杜也對他看著。

他說道：「麥克滿杜兄弟，我是不常出來拜訪人家的。我總是很忙，需接見他人。但我現在破例到你住處來看你。」

麥克滿杜很快活地回答道：「參議員，蒙你光臨，非常榮幸。這是我出乎意料的光榮。」他遂從櫥裡取出一瓶威士忌酒。麥金提問道：「臂上的東西怎樣了？」

麥克滿杜不覺一嚇，仍裝出鎮定的樣子，說道：「這事我不會忘記，它有它的價值。」

麥金提說道：「不錯，它有它的價值，不過這是對於忠心、遵守和力助黨會的人來說的。今天早上，你在密勒山上和馬列師兄弟說些什麼話？」

這一問來得突然，但麥克滿杜早已預備回答，他遂笑了一笑，道：「馬列師並不知道我可以在家中賺錢，他也根本不會知道。他很天眞，以爲我沒有職業，所以要請我到他店裡做司計。」「啊！爲這事嗎？」「是的，是爲這事。」「你回絕他嗎？」「當然，我在家中工作四小時，不是比到他那裡的工資多上十倍嗎？」「對的，我很厭惡馬列師。」「爲什麼？」「我不能告訴你，這裡大多數的人已明白了。」

麥克滿杜很有勇氣，說道：「參議員，大多數的人明白，我倒不明白。若你是公正的人，你當知道這事不應該這樣子。」

麥金提對他看了一眼，他那多毛的手掌，在酒杯旁握緊起來，好像立刻要打到他同伴的頭上去。但略停一會，他卻虛情假意地放聲大笑。

他說道：「你眞是個奇怪的人。若你要知

道這個緣故，我不妨告訴你。馬列師可有向你說反對會中的話？」「沒有。」「沒有反對我的話嗎？」「沒有。」

「那是因他還不敢相信你。但是他實在不是一個忠心的弟兄，我們都知道的，所以我們很注意他。我想這一刻也不遠了。在我們這裡將沒有他的容身之地，但你若和這不忠心的人交友，我們一定會認爲你也是一個不忠心的人，明白嗎？」

麥克滿杜答道：「我也沒有機會和他交友作伴，因爲我很厭惡這個人。至於說我不忠，除了你說之外，別的人我斷不容他說第二遍的。」

麥金提遂把酒杯中的酒喝完，說道：「那就好了。但我到這裡來說的話，你也要牢記。」

麥克滿杜道：「我要知道你怎麼知道我和馬列師晤談的事。」

麥金提笑了笑，說道：「全鎮的事情，我沒有不知道的，我想你該知道的，不論什麼事都逃不過我的耳目的。時候不早了，我要……」

麥金提正想走時，忽然室門大開，有三個警察走進來，目光灼灼，直射到他們的身上。麥克滿杜立刻跳起來，剛拉出半段手槍，手臂立即停住，因爲他已看見兩管溫徹斯特的來福槍瞄準他的頭部。這時又有一個穿著制服的人衝進門來，手裡握著一枝有六發子彈的短槍。這

麥金提正想走時，忽然室門大開，有三個警察走進來。

人正是甲必丹·麥文，以前在芝加哥警署任職，現在是煤鐵區裡的特別警察。他搖搖頭，對著麥克滿杜微笑。

他說道：「芝加哥的麥克滿杜，我想你的厄運到了。你不能再藏匿了，你能嗎？快點脫下你的帽子跟我回去。」

麥金提說道：「甲必丹·麥文，我想你應當注意你是什麼人。怎麼可以擅闖人家家裡這般無理呢？這豈是合法的行爲？」

甲必丹·麥文說道：「參議員，這不干你的事。我們不是來逮捕你，是要逮捕這個麥克滿杜。在法理上你當幫助我們，不該阻擋我們的。」

麥金提道：「他是我的朋友，我可擔保他的行爲。」

麥文答道：「參議員，你要擔保他，以後可到法庭上辯白，你現在不能阻止我。這個麥克滿杜到這裡以前，已是個不安分的人，現在仍舊這樣。警察們，你們把槍瞄準他，我要繳他的械。」

麥克滿杜冷然道：「甲必丹·麥文，這是我的手槍，你可拿去，但若只有我兩對壘時，恐怕你也沒有這麼容易得手。」

麥金提道：「逮捕狀在那裡？你們這些人做了警察，反而讓大家人人自危。這就是資本家的非法手段。」

「參議員，請你守好本分就好，我們也只能顧及自己的本分。」

麥克滿杜問道：「我犯何罪？」「昨夜新聞報館主筆司丹權被人毒打，你雖不是主其事者，但也有分。」

麥金提笑道：「你若是僅爲這事，還是放

了他，不要找麻煩了。昨天半夜，他還在我酒肆中打牌呢！那邊還有十幾個人可以證明。」

「那是你的事。我想明天你在法庭上再說。麥克滿杜，現在走吧。若你不要槍彈打破你的頭，就好好地跟我們去。麥金提先生，請你讓開些，我要警告你，我是奉公而來，不容他人拒絕的。」

甲必丹神色凜然，麥克滿杜和身主不得不從命了。在走以前，麥金提和麥克滿杜附耳低語。

「那事怎麼……」他舉起大拇指，意思是說私鑄機。

麥克滿杜也低聲道：「妥當了。」因爲他已安放在地板下面，不怕被發現。

麥金提又和他握手道：「我要和你暫別了。明天我會來替你作證，我會請李蘭律師相助。」

麥文見他們詭祕的情狀，遂道：「我還是不放心，你們兩人把這罪犯看好，若他倔強不服，可以開槍。我要在室中搜一搜。」

麥文搜了一番，沒有什麼發現，遂走下樓來，和他的手下兩人押著麥克滿杜到總署去。這時天色昏黑，風雪大起，路上只有少數懶散的人，看見斯酷鸞黨被擒，在後面咒詛這罪犯早死。

他們喊道：「處決這受詛的斯酷鸞黨！處決他！」麥克滿杜被帶進總署時，他們高聲歡呼。署長向他略一問訊後，便吩咐把他關起來。他見鮑耳溫和三個會友已在那裡。他們都是在這個下午被捕的，要等到明天才開審。

斯酷鸞黨的勢力強大，即便是在監牢裡也可感受到他們的勢力。獄卒們唯命是從，不敢與他們違逆。天晚時一個獄卒帶了一束稻草來，給他們做臥舖，稻草裡還有兩瓶威士忌酒和一副紙牌，幾隻玻璃酒杯。他們遂飲酒賭博，狂歡了一夜，一點也不擔心明天早上的事。

第二天早晨到法庭上裁判時，審判官也不能定他們的罪，因爲一方面據原告印刷廠工人說，雖曾見許多兇手逃出去，但燈光模糊，不能盡認出他們的面貌。司丹權匆忙間突受驚嚇，且遭毆打，但記得最先動手的一個人是一個有鬍子的人。他確知那些是斯酷爾黨人，因爲他在社會上沒有與人結怨。他常常因爲在報紙上議論他們的緣故，受到他們的恐嚇。但證人方面一共有六個，其中包括參議員麥金提。據他們說，昨夜這許多被控的人，都在店中打牌，一直到事情發生的時候，還沒有散去。辯論終結，法官無法定他們的罪，遂將他們釋放。

這時來旁聽的黨徒都歡呼起來，其中有幾個人的臉孔麥克滿杜很熟。他們都笑著高揮手巾，表示勝利。但其他的市民都坐著睜目切齒，十分憤恨。裡面有一個瘦小而蓄著黑鬚的人，尤爲不平，當那些被釋放的罪犯走過他面前時，他代表衆人說話。

他說道：「你們這些兇惡的罪人，我們終有一天會定你們的罪！」

第五章　黑暗的時候

麥克滿杜自從判釋以後，聲名大噪，因爲黨徒中若有因犯法而被法庭拘禁的，是一種榮耀。現在麥克滿杜新進會不久，便受法庭的審判，這是史無前例的，所以大家都佩服他。麥克滿杜雖喜交友，但易發怒，且不能受人家的侮辱，即便是身主麥金提，他也不肯讓步。大家都承認他是會中的勇敢份子，將來必會委以重任。麥金提也認爲麥克滿杜驍勇非常，應該寬容他，好像主人養著一頭兇猛的獵狗，必要主人特別撫養，才能使他馴服，因此一切瑣細的小事，都不教他去做。但鮑耳溫和少數同黨的人，見麥克滿杜新進會就這樣得意，遂生了嫉妒之心。然而他們也不敢觸犯他，因麥克滿杜不是好欺負的。

他一方面雖得黨友的稱讚，另一方面卻也受到了不好的影響。因爲歇富特老人聽見了他的事情，不肯與他相見，也不許他上門。愛丹深情繫戀著他，但她也覺得如果自己將來和一個兇徒結婚，後果難以設想，不過心裡還是愛戀著他。一夜，愛丹輾轉反側的睡不著，等到天明，遂決定去見麥克滿杜，勸他脫離惡黨，不致迷失自我。她到他的屋裡去，他以前就常常請她去。她逕走到書室，見麥克滿杜正朝裡面坐著，拿著一封信細看。愛丹年紀不過十九歲，突然出現一個頑皮的念頭。當她推開門時，他並沒有察覺，她便輕輕躡足走近，把手慢慢放到他的肩上。

她想去嚇他，不料自己卻反受了驚嚇。麥

克滿杜忽然像老虎般一跳而起，反身以右手扼住她的喉嚨，同時左手將那放在面前的信，塞到腰袋裡。但他忽然呆住，他又驚又喜，立刻斂藏起他兇惡的形態。

他驚呼道：「原來是你啊！我沒想到你會來，讓你受這驚恐。親愛的，來吧，請不要害怕。」他遂鬆開他的手。

愛丹見他兇惡的樣子，一時驚魂未定。婦人心智靈巧，看出他可能做了什麼見不得人的事，所以露出驚惶的樣子。

她喊道：「雅各，你怎麼了？你向來不會這樣看著我的。」

「的確是。我正想起別的事情。所以你輕輕進來，我也沒有聽見。」

「雅各，恐怕這是很嚴重的事吧？讓我看一看你所寫的信。」她此時不覺起疑。

他道：「唉！愛丹，我不能夠給你看。」

她更加懷疑了，說道：「這信一定是寄給別的女人的，我知道了。爲什麼不能給我看？莫非是寫給你的妻子？我怎知道你沒有娶妻呢？你是一個從遠方來的人，沒有人能知道你的家世。」

「愛丹，我的確沒有結婚過。我發誓，世上只有你一個人是我愛戀的。我對著主耶穌的十字架，我敢立誓！」

他說時十分懇切，她也只能相信他。她道：「很好，那麼，你爲什麼不讓我看信呢？」

他道：「我告訴你，我已立誓不給人看，所以我不能失信，我要代人謹守祕密。這是黨會中的事，對你也只好守祕，剛才你把手放到我肩上來，我難道不懷疑是警察的手？」

她覺得他說的都是實話。麥克滿杜遂伸手

把她抱住，並吻她，以消除她的驚恐和疑惑，道：「請坐在我的旁邊，這是王后的特別寶座，也是你貧窮丈夫所能得的。我想將來終有讓你享受快樂的一天。現在你的心平靜了嗎？」

「雅各，我心怎能平靜呢？我沒想到你竟在黨會中作奸犯科。『麥克滿杜這斯酷黨！』昨天我們家裡寄居的客人都是這樣稱呼你，我聽了眞像一把刀刺到我心裡。」「他們毀謗的話，對我沒有損害。」「但他們的話是眞的。」

「親愛的，這也沒有像你所想的那麼不好。我們爲勢所逼，不得已而做。」

愛丹張臂圍住她愛人的脖子，道：「雅各，你當立即脫離。爲了我，爲了上帝的緣故，你當儘速脫離。我到你這裡來，便是爲此。唉，雅各，我要跪在你的面前，請求你脫離惡黨。」

他把她抱起，把她的頭放在他的胸前，道：

愛丹張臂圍住她愛人的脖子，道：「雅各，請你脫離惡黨。」

「親愛的，你的想法當然沒錯。但我已立誓入黨，不能即時脫離，並且黨的勢力很大，我怎能走呢？你想他們怎肯容許一個人到處去宣揚他們的祕密呢？」

「雅各，我也曾想到這一層。我已計劃好了，我的父親存了一點錢，他也極不願在這裡居住下去，因爲在這裡的人都會有生命的危險，他預備要走了。我們可以一齊到費城或是紐約，在那裡我們總可以安居。」

麥克滿杜笑了笑，道：「這黨會的勢力無遠弗屆，你想他們的勢力達不到費城和紐約兩處嗎？」

「不然，我們可以往西邊去，或到英倫，或到瑞典，到遠的地方去，離開這恐怖之谷。」

麥克滿杜不覺想起馬列師兄弟，說道：「眞的，我聽你們這樣稱呼這地方，已有二次了。這陰影印在你們腦裡眞的很深啊！」

「我們的生命時常有危險，你想泰特‧鮑耳溫會忘記我們嗎？如果不是他怕你，我們早已遭他的毒手了。你沒有看見他惡狠狠的目光對著我們瞧嗎！」

「假如我再看見他時，我要敎他態度放得好些，但是我實在不能離開這裡。你若讓我做下去，以後我總有法子獲得很大的名譽。」

「在這罪惡叢中沒有什麼名譽可得的。」

「這事你當然不能明白。但你若能給我六個月的時期，我保證可以離開這裡，一點也沒有羞辱。」

她喊道：「六個月嗎？這是你的許諾嗎？」

「或許要經過七個月或八個月，但最多一年，我們可以離開這裡。」

愛丹知道多說並無益。暗想將來總有光明的一天，就又很快樂地回到家裡去了。

斯酷鸞黨的黨徒很多，分布很廣，份子也很複雜，一般的黨人無法洞悉它的底細，即便是身主麥金提也不能完全明瞭。因爲身主以外，還有一個人統率黨會的事情。這人住在花柏森村裡，權力很大，管理各支部的身主。麥克滿杜也曾和他見過一次面。他是一個瘦小的老人，臉上充滿陰險的表情，使人害怕。他的名字叫伊文斯‧苞德。麥金提見了他，也肅然生畏，不敢違背他的意旨。

一天，史坎倫兄弟忽然把身主麥金提的信

拿給麥克滿杜看，這是一封伊文斯・苞德寫給麥金提的信。大意是說近日將派兩個弟兄到鄰近的地方辦事，可否允許他們在這裡住幾天，等事情辦好了才回去。麥金提的意思，以爲酒肆中人多，不能隱藏祕密，所以他希望和麥克滿杜、史坎倫兩人商量，讓他們住在他們兩人的屋裡，兩人當然答應了。

當夜有兩個人帶著行李來了。一個叫勞勒，年紀稍大些，外表很沉靜，但是鬚髯滿頰，有些狡猾的樣子。他穿著褐色的舊外衣，戴著軟帽，好似傳教的人。他的同伴安德魯卻是一個少年，面貌秀潔，常帶著笑顏，好像學校裡放假歸來的小學生。這兩個人自制很嚴，不喝酒，不賭博，辦事也很有能力，眞是黨中出色的人才。每逢有重大的事，他們常會擔任。講到他們殺人的次數，已有十四次，即便是這少年安德魯也殺過三次人了。

他們和麥克滿杜等相見後，遂告訴他們生平所經歷的事，好似宣揚功績一般，很得意。但他們對於奉命的事一點也不肯洩露。

勞勒說道：「我等到此叨擾，十分抱歉，但我們奉命而來，有事要辦妥，請勿見外。」

史坎倫說道：「我們都是同黨，無分彼此。」四人遂一同坐下進餐。

「我們此來必須得手而還，所以許多話不能談。」

麥克滿杜說道：「這裡仇視我們的人很多，你們到這裡，莫非是要找尋那鐵山的傑克・諾克斯？我也要報復他的。」「不是這人。」「赫門・司屈勞士嗎？」「不，也不是他。」「你們若不肯告訴我們，我們也沒法，但我很願意分勞。」

勞勒搖頭微笑，似乎眞有不能告訴他的苦衷。

雖然兩人緘默不言，但史坎倫和麥克滿杜決定要加入他們所說的「遊戲」。一天破曉時，麥克滿杜忽聽見兩人輕輕掩下樓梯去，他遂弄醒了史坎倫，急忙披上衣服。這時兩人已開門出去，天還沒有十分亮，路燈未滅。他們看見兩人走在前面，遂跟著一直走，踏著路上很深的積雪，一點也沒有聲響。

他們所住的屋子，位在鎭的盡頭，走不久已到岔路，路旁有三個人站著等候。勞勒和安德魯過去和這三人匆匆說了幾句話，便一同走。由此可知道他們必有重大的事，所以要這麼多人手。那邊有幾條岔路通到各處礦場，他們走一條支路上老烏山，山下有一個礦場，最新的經理是英國人喬山・鄧恩。他精力旺盛，經營礦務有成，一點也不怕斯酷鸞黨，所以黨人對他恨極了。

這時天已亮，礦場中的工人多慢慢的走去，三三兩兩的沿著那條黑色的小路過去。

麥克滿杜和史坎倫雜在衆人裡面，不讓他們窺見。一陣濃煙衝到天空，夾雜著嗚嗚的汽笛聲音，十分鐘後就要開工了。

他們走到礦場前，見百餘名礦工等候在那裡。因爲天氣很冷，有些人不停地跳動著，或朝手掌心呵氣。勞勒等五個人躱在機屋的旁邊。史坎倫和麥克滿杜爬到一座礦滓堆上，可以窺見四周的情景。這時有一個鬚髯很多的工程師出來，是一個蘇格蘭人，名叫美齊斯，他吹起哨子，令工人進去。同時有一個修長的少年，面貌修得很淸潔，樣子誠懇，走到機房前面。當他走近時，他忽然看見勞勒等一群人站在機房牆邊，一動也不動。這些人都把帽子壓得很低，看不清楚他們的面目。這時死神已降臨在他身上，但他還是忠於職務，想去驅逐這些人。

喬山•鄧恩走上去問道：「你們是誰？躲在這裡做什麼？」

他走上去問道：「你們是誰？躲在這裡做什麼？」

那群人都沒回答，只見安德魯一跳而出。開槍打中這人的肚子。許多工人慌得沒有頭緒，也不敢過來救援。這人揮動兩手，忍痛跳起，向後奔去，但又有一人對他發了一槍，他遂倒在地上，掙扎了一下。美齊斯見了，大吼一聲，舉起鐵杵，奔上前來，但臉上中了兩槍，頭顱碎裂。這時衆人譁然，那些兇手遂向人群中掃射，嚇得許多工人都逃回去，只有幾個膽子大的人聚集著，但兇手已逃得無影無蹤。他們雖然當著百多人面前行刺，卻沒有留下一點證據。

史坎倫和麥克滿杜也回家去。史坎倫承認他是第一次見這樣子行兇的，覺得一點也沒有「遊戲」的意味。他們又聽見那經理的妻子的哭聲隨風傳來，麥克滿杜默然無語。但他見史坎倫這般怯弱，也不以爲然。

他說道：「眞的，這眞像一場戰爭。我們和他們除了戰爭還有什麼呢？」

這夜麥金提的酒肆中，群衆大集，置酒歡賀。除了刺殺喬山．鄧恩一事，還有一件事情也在同時舉行，那是謀殺一個富翁。這富翁名威廉·海耳，擁有極多的礦產，非常富有，在乾耳滿登山谷首推巨富。他做人很好，不像有仇人，但在工作方面很嚴格，見有飲酒懶惰的工人，不管他是不是黨會中人，他會立刻開除。因此黨會中人十分恨他，常有恫嚇的書信，但他卻不管。

現在他們決定要殺死他了，泰特·鮑耳溫便擔任說明這件事。他兇惡的面貌，充滿血絲的眼睛，顯出他飲酒過度且沒有睡覺。三個人受命同伏在山下巖穴中，但守了一黃昏，沒有一個人。後來見有一個人從山上騎馬過來，因天冷，身上穿得很多，所以不能帶著槍防護，他們便把他拖下來打了幾槍。

三個人裡面沒有人認識這人的。但斯酷鸞黨徒殺人是常有的事，也不要有什麼理由。這時忽有一對夫婦驅車經過，他們和礦務沒有關係，暗暗叫車夫快速飛奔，逃出這個危險的區域。至於那屍首則留在山邊，藉以警戒那些硬心腸的雇主。三個人遂奔回這裡來。

這是斯酷鸞黨得意的日子，黑暗籠罩全谷，使所有人震懾他們的勢力，不敢圖謀反抗。麥金提看著衆人的樣子，十分得意，他凶狠的眼神正在籌劃新計策去毒害那些反對的人。就在這夜，這些半醉的會友四散回去。麥金提牽著麥克滿杜的手臂，領他到內室裡去，那便是他們初次見面的所在。

他說道：「孩子，我有一件很重要的事，你代我去辦理。」麥克滿杜道：「我很高興聽到這事。」

「你可帶兩個人去——梅特和利蘭，我已對他們說過了。這裡有個啓斯特·威耳考克斯，是我黨的勁敵。此人不除，我們不能高枕無憂。

若你能做成這事，這整個煤區的各黨會都會感激你。」

「無論如何，我必盡力去做。他是誰？我到什麼地方去找他？」

麥金提拋去口中半燃半滅的雪茄。又從懷中取出鉛筆和小簿子，在上面畫一個草圖。

「他是笛克鐵廠中的總管，以前是陸軍少尉，性子很頑強。我們曾兩次謀刺他，都沒有成功，吉姆・卡納惠反而喪命。現在要請你前去。這是他的住處，從笛克鐵廠叉道前去，可以到達。白天去是不成的，他防備嚴格，槍法很準，不易得手。但在夜裡可以前去。他有一個妻子、三個小孩，還有一個僕人。你不能一一力取，最好把炸藥埋在門前，接上慢慢引著的導火線……」

「這人犯什麼罪？」「我不是說過他曾槍殺吉姆・卡納惠？」

「爲什麼他要槍殺他呢？」「這和你做事有什麼關係呢？卡納惠夜裡到他家去刺殺他，遂被他槍殺。所以我要你去報仇，你好好做吧。」

「那邊還有兩個婦女和小孩，他們也要一起轟殺嗎？」

「只好連他們一齊殺死。此外還有什麼法子接近他呢？」

「他們沒有什麼罪過，要連他們一齊處死，似乎不妥吧。」

「這是什麼話？你有畏縮的心嗎？」「參議員，我生平不懂畏怯。你想我會接到了黨會身主的命令，而不敢前去嗎？這事的是非，當然由你定奪。」「那麼，你會去嗎？」「我當然會去做。」「幾時？」「你最好給我一兩天的時間，讓我先去察看房屋，想好計劃，然後……」

麥金提和他握手道：「很好，我把這事託負你了，你成功回來時，我當陳設酒筵，幫你接風。這是最後的一步，使他們不得不順服我們。」

麥克滿杜之突然受命後，深思下手的計策。啓斯特・威耳考克斯的住屋，離開凡米賽約有五英哩遠，很冷清。那夜他獨自去視察一番，直到天明才回來。隔天，他便去見了兩個助手——梅特和利蘭——都是少年。他們很高興，好似出去行獵。兩夜以後，他們在鎮外會合，各帶了武器和一袋炸藥上路。在凌晨兩點鐘時，他們到了那冷清的屋前。這夜微月朦朧，風吹得很急，冷雲飛流，月光忽暗忽明。他們深恐有獵狗出來，十分小心，走得一點也沒有聲音，手裡都挾著手槍。只聽見風聲，別無其他聲息。麥克滿杜在門外竊聽，見裡面沒有動靜，他遂把炸藥袋放在門邊，裝好藥線點上了，遂退到遠處躲著偷看，不久火藥爆發，轟然發出巨聲，這座屋子立刻化爲灰燼。可惜他們所用的心思和勇敢都白費了，因爲所轟的屋子是空屋，威耳考克斯安然無恙。原來威耳考克斯聽說有許多人被害的消息，時刻防備，前一天又得到斯酷爾黨要來謀害自己的風聲，所以帶了妻子早避到安穩的地方去了；那裡很隱僻，且有警察守護著，所以這老人仍舊很嚴緊的管理著笛克鐵廠裡的礦工。

麥克滿杜後來知道上了當，遂道：「這人待我來收拾他，即使讓我等上一年，也要取他的性命。」

幾星期後，報上忽然登載啓斯特・威耳考克斯被人暗殺的新聞，大家都知道是麥克滿杜做的了。

這些都是弗利門會所用的方法，也是斯酷鸞黨所做的事，使得這個繁華富庶的地方，佈滿了恐怖。爲什麼這些篇幅上都寫著他們的罪惡呢？我言過其實嗎？這些事情都有詳細記載，讀者可以看見的。他們還槍殺過兩個警察亨特和伊萬斯，因爲他們曾冒險逮捕他們會中的兩個會友。還有勞卑太太被殺案，她的丈夫曾被身主麥金提痛毆，幾乎死去，她緊抱著丈夫，就被黨人殺死。此外還有詹京斯兄弟的被殺、吉姆・斯漫杜啓家族的慘案、司塔普家被炸、斯帝兌耳的被殺，都在這可怕的冬天中發生，所以此地成了名副其實的恐怖之谷。春天終於來臨了，溪水潺潺，百花盛開，大地回春，自然界都恢復了生氣。但住在那地方的男女，還是無法脫離這可怕的枷鎖，他們頭上罩著黑雲，生活毫無希望。從一八七五年夏天到現在，他們的苦也受得夠多了。

第六章　危險

這時麥克滿杜已在內部做事，很有名望，大有將來繼麥金提做身主的氣勢。麥金提也非常器重他，每有事情必徵求麥克滿杜的同意和幫助。他在弗利門會中名聲愈來愈大，外面的市民卻愈恨他。有時他走過街上，人家就在背地裡詛咒他。那些市民雖然恐懼，一方面卻也連結起來反抗他們。消息傳到黨會中，說凡米賽新聞社中有祕密聚會，分配槍枝給平民，要來掃除斯酷鸞黨。但麥金提和他的手下並不放在心上，因他們人數衆多，武器也好，而他們的對手卻很散漫。麥金提和麥克滿杜一眾都以爲他們只會說空說而不實行，像以前一樣，對他們無可奈何。

一天，是五月中一個星期六的晚上。星期六是黨徒聚會的日期。麥克滿杜正要外出赴會，忽然大家稱爲懦夫的馬列師前來拜訪他。他皺著眉頭，臉色也沮喪不歡。

他說道：「麥克滿杜先生，我可以和你談一談嗎？」「無妨。」

「我從沒忘記我上次和你說的話，你竟能堅守不露。雖然身主來問你，你卻不說，很令人安慰。」

「你既然已相信我，我怎能不如此呢？但我對你的話，並不同意啊。」

「我知道，但同黨中也只有你一人可以直說而不怕洩漏。現在我有一件祕密的事，」——他把手放在胸前——「使我心裡十分焦急，我希望我能免於禍患。我若說出來，勢必又有流血的慘劇發生。若我不說出來，那麼，我的同黨都要被一網打盡。願上帝幫助我，我眞的沒有法子想了！」

麥克滿杜很懇摯地瞧著他，他的四肢都在顫動。麥克滿杜遂倒了一杯威士忌酒給他。

麥克滿杜說道：「可見你眞的很害怕，現在請你告訴我。」

馬列師把酒喝了，臉色頓時回復了些，說道：「我只要告訴你一句話。我們的行動已有偵探在監伺了。」

麥克滿杜驚愕地看著他，道：「怎麼說？你瘋了！這地方不是充斥著偵探和警察嗎？他們如何能奈得了我們呢？」

「不，不，這次並不是本地的人。那些本地人我們都知道的，就像你說的沒有什麼損害。但你聽過品葛登的偵探嗎？」「我曾聽過幾個人的名字。」

「很好，請你聽我的話，這次不要輕視。他們以前屢次破獲奇案，假如品葛登的人來辦我們，我們都要滅亡了。」「我們殺死他便了。」

「唉！你首先想到的就是這個！這樣，你必定會去告知黨會的人。我不是說過這事的結果，將有流血慘劇嗎？」「流血算什麼？這裡不是常見嗎？」

「果然，這殺機發自我口，我的靈魂將難以平靜。但若不這樣，我們自己的頭頸也要落地了。上帝啊！我該怎麼辦呢？」他的身子晃動著，顯得非常憂悶。

但他的話讓麥克滿杜大爲感動，很容易看出他爲他人憂慮。麥克滿杜遂拍拍馬列師的肩膀安慰他。

他很驚奇地說道：「朋友，你不要娘兒們

似的，讓我了解了解。那人是誰？他在什麼地方？你怎麼知道的？你爲什麼到這裡來？」

「我到你這裡來，因爲惟有你一人能指導我。我早已告訴你，我沒有到此以前，曾在西部地方開過店。那裡有許多很要好的朋友，其中有一人是在電報局中服務。昨天他寄給我一封信，就是這一封，你自己讀吧。」

麥克滿杜遂讀出來：

「你那裡的斯酷爾黨怎樣了？報上登載了很多他們的不良行徑。我很久沒有接到你的信，很掛念。現在聽說有五家公司和兩處鐵路局正協力合謀，將剷除斯酷爾黨。他們已聘請品葛登的大偵探盤特・愛德華擔任這事。現在他們已開始著手了。」

「請你再讀信末的附啓。」

「我告訴你的，都是我所知道的。不過不能再進一步說明，因爲他們通信是用奇怪的暗碼，旁人不能懂他們的意思。」

麥克滿杜坐了好久沒有出聲，手裡拿著這封信沈思著，似乎有了覺悟。問道：「有別人知道嗎？」「我沒有告訴過別人。」「但這個人——你的朋友——他可曾寫信給別人嗎？」「我敢說他或許認識一二個人。」「在工會裡嗎？」「是的。」「我所以要問，是想他或者能把盤特・愛德華的形貌告訴我們，那麼，我們就可以著手了。」「問是可以問，但我想他不會知道的。他給我的這個信息，也是從商場上傳聞開來的。他怎會認識愛德華呢？」

麥克滿杜急跳起來，喊道：「我一定要捉住他，若無法知道他，我眞是個蠢蛋。不過還算幸運，在他動手以前，我們可以先下手爲強。馬列師，你要把這事託付在我手中嗎？」「當然，你若能不拖累我，任你怎麼辦好了。」

「這事交給我，你可完全不管，由我獨自處理。我也不會提起你的名字，這封信算是寄給我的。你滿意嗎？」「這正合我意。」

「那麼，你不要管他好了。現在我要到黨會裡去，他既然要來找我們，讓他自尋煩惱吧。」

「你要把這人殺死嗎？」「朋友，你知道的越少，你的良心越安，你也越能睡得著。不要再問吧，這事就這樣。現在我自有安排。」

馬列師憂愁地搖著頭走了。口裡嘆道：「我想他是斷送在我手裡了。」

麥克滿杜獰笑道：「無論如何，我們爲自衛而殺人不能算罪。我們不殺死他，他會殺死我們。若我們讓他長住在這山谷裡，我想他必定會把我們全部殲滅的。馬列師兄弟，我們以後要選舉你做身主，因爲你救了我們黨會。」

麥克滿杜自馬列師走後，心中很不安，惦念著他所說的一席話。或許是他良心上的覺悟，或許因品葛登偵探名氣大，讓他不免有些虛怯。而且他知道這次是各公司合謀來掃除斯酷鸞黨徒。不管他心裡怎麼想，他的行爲說明了他已有最壞的打算。他屋內有許多和黨有關係的書札，在他走以前，都把它燒燬滅跡。他嘆了一口氣，似乎已覺得很安全了。但是危險仍壓迫著他，他走到歇富特老人家去，老人卻不開門。麥克滿杜以手拍動窗戶，愛丹便出來了。她看見他臉上似乎充滿憂慮，神色不佳。

她喊道：「你一定有什麼事。雅各，你一定遇到危險的事。」

「親愛的，的確有很不好的事了。但我們還是有法子消弭它。」

「有法子消弭嗎？」「我以前答應你說，將

來我必要離開這裡，我想時候到了。今夜我得到消息——不好的消息——知道禍殃將來。」

「警察嗎？」「品葛登的偵探要來追蹤我們這些黨徒。但你不必問，也不要爲我擔憂。我已仔細想過，我最好快點離開。你說過若我離開，你肯跟我同行的。」「雅各，這是你得救的方法了。」

「愛丹，我是個誠實的人，我不會讓你有絲毫的傷害。你好似坐在雲端裡的寶座上，我常常瞻望你的容顏，也不會從那裡把你拖下來的。你相信我嗎？」

她把纖手放在他的手掌中，一句話也沒說。

「現在聽我的話，照我的吩咐去做，這是我們唯一的方法。谷中不久將有事故發生，我們都要自尋生路。如果我離開，不論日夜，你一定要隨我去的！」「雅各，我想你先走，然後我隨後就到。」

「不，不，你一定要和我一起走的。若這山谷裡發生大事，我就不能再回來，我怎能丟下你呢？而且我以後要躲避警察的耳目，又不能和你通信，所以你一定要和我走。我好把你安頓在一個地方，再和你結婚，你肯走嗎？」

「是的，雅各，我跟你走便是。」

「上帝保佑，你信賴我了。愛丹，還有一句話，到那時候你得拋棄一切，等候在所約的地方，我好來帶你走。」「雅各，不論日夜我都如約。」

麥克滿杜既決定了出走的方法，他心中平靜了許多，遂走到會所裡去。那時會友都已聚集，他走過內外守護處，交換了暗號，踏進會場，便有一陣歡迎的聲音。他見室中擠滿了人，從煙霧中，看見身主麥金提和鮑耳溫，哈萊惠，還有十多個黨中重要的份子。他很快慰，因他們都在那裡等候他的消息。

麥金提道：「我們眞高興和你相見。兄弟，這裡正有一件事情要等你解決。」

他坐下時，旁邊一個黨員說道：「這是蘭德和意根兩個兄弟，他們去槍殺司兌耳鎭的克拉伯，大家在搶功。我不知究竟是誰開的槍？」

麥克滿杜自座上站起，舉起手來，臉上神情嚴肅，使衆人都注意到他。

他發出嚴厲的聲音道：「身主，我有要事報告。」

麥金提道：「麥克滿杜兄弟，既有要事報告，按照會章當然要優先討論。兄弟都在，我們可以聽你說。」

他道：「身主和衆位兄弟，今天我帶來一個不祥的消息，必須經大衆討論。我不會讓他一聲不響地來把我們毀滅。我得到緊急消息，知道現在有許多大公司正要合力剷除我黨。他們已請品葛登中的偵探盤特·愛德華來這裡偵緝，想得到我們犯罪的證據，要把我們一網打盡。所以我將此事報告，請大家討論。」

室中頓時沉寂，身主遂開口發問道：「麥克滿杜兄弟，你的消息正確嗎？可有證據證明這事？」麥克滿杜道：「我接到一封信。」

他遂大聲朗讀那封信，又道：「這信裡其他的話，爲了尊重那人，所以不必提起。但我敢說這事對我們黨會大大不利。我接信後，便趕來把這消息向各位報告。」

有一個年老的弟兄道：「身主，我聽過盤特·愛德華的名氣，知道他在品葛登服務成績很好。」麥金提道：「可有人見過他嗎？」麥克滿杜道：「我見過。」

大家聽了都覺得奇怪。

他面帶微笑，繼續說道：「我相信若我們能先下手，就可以玩弄他於股掌之中。我若能得到你們的信任和助力，我就不怕他。」「我們怕什麼？他怎能知道我們的祕密呢？」「參議員，這很難說。這人受許多大公司的委命而來，有極大資本當他的後盾。你想我們黨會中沒有敗類被他私買嗎？我想他或許已得到我們的祕密了。只有一法可以救治。」

鮑耳溫道：「就是把他殺死，不讓他活著離開此地。」

麥克滿杜點點頭，道：「鮑耳溫兄弟，你說的正是。你和我的主張常有不同。但今夜你說的對極了。」

「那麼，他在那裡？我們如何能見到他？」

麥克滿杜很懇摯地說道：「身主，這事我不願在衆人面前討論，難免有人要洩漏。若被那人知道，我們再也沒有機會可以除掉他了。請身主揀選幾個重要委員一同商決，我提議第一個是身主，還有鮑耳溫兄弟，其餘再五個人就夠了。那時，我就可告訴你們，並且說出是怎樣的計劃。」

這個提議立刻被採納，委員也選好，除了身主和鮑耳溫以外，還有書記哈萊惠、老虎考梅克、司庫卡特和勇猛不畏死的韋廉培兄弟。

黨會中的命令，沒有人敢不順服，尤其是黨中的領袖，大家的生命都靠託他們，大家對這事也有些恐懼，所以很早就散開，惟有麥金提等幾個領袖留在會中。

他們獨在時，一共七個人坐著，麥金提說道：「麥克滿杜兄弟，現在你可以直說。」

麥克滿杜道：「我已告訴你們我認識盤特・愛德華。他住在這裡，不用眞名姓。他是一個勇敢多才的人，改名爲史蒂夫・威爾遜，住在花柏森村裡。」

「你怎麼知道？」「因爲我以前曾和他交談過一次，但在那時我也沒想到，事後也忘記了。現在看到這信，才認定那人便是愛德華。在星期三，我有事到花柏森村去，在火車上遇見他。他自稱史蒂夫・威爾遜，是新聞記者。他和我交談，說要徵集斯酷鸞黨的事，爲紐約一家報社寫稿。他問我許多事情，我拒絕他。他說若我能把祕密的事告知他，願出重金酬謝。他取出一張二十元紙幣給我，又說我若肯把他所要知道的事告訴他，他將出十倍的酬金。」

「你告訴他什麼？」「我把能說的告訴他。」

「你如何知道他不是報館中人呢？」「我告訴你們，他在花柏森站下車，我也跟著下去。後來我忽然見他從電報局裡走出來。局中的報務員說道：『這種電文，我想我們應加倍收費才對。』我說：『我想你們是應當加倍收費的。』他遂拿給我看，見電報上的字是一種特異的暗碼，又像中國文字一樣。報務員又說道：『他每天來發電報的。』我道：『是的，這是報中的重要新聞，恐怕被人探悉，所以要守祕。』那是我和局中報務員的猜想，但現在我覺得不對了。」

麥金提道：「我想你的話是對的。但你覺我們應該怎樣對付他？」

有一個黨徒提議道：「爲什麼不立刻去殺死他呢？」又有一人道：「不錯，愈早愈妙。」

麥克滿杜說道：「假使我知道他確實的地址，我也要立刻去找他了。他在花柏森村，但我不知道他的住處。不過，我已想得一計，只要你們肯聽我的話。」「很好，是什麼計策？」

「明天早上，我可先到電報局中詢問他的住址，我想他們大概知道的。然後我去見他，自己承認是弗利門會會員，願意受他的賄賂，把黨中的祕密告訴他。又告訴他有些祕件在我屋裡，不過爲了保命，不能給別人知道，所以要請他在夜裡十點鐘到我家裡來看。這樣，就不難得手了。」「很好。」

「後來的事，你們怎麼處理都行。我的住處只有一個寡婦，她耳聾，不足顧慮。此外，便是史坎倫和我兩人了。他若答應我，麻煩你們在九點鐘一齊到我住處來，我們便可把他擒住。如果他還能活著，那是他命大。」

麥金提道：「此後品葛登就會多一空缺了。現在不必再談，九點鐘時，我們可到你住處。你只要引他入室，斷其後路，其餘的事都讓我們去做。」

第七章　陷阱

麥克滿杜說過，他住的地方很冷清，適合他們謀惡犯罪，因爲位在鎮的盡處，又遠離馬路，所以麥金提很中意。若是尋常的敵手，吩咐幾個黨人殺他，便足了事。現在他們卻想活捉他，詢問他可曾探悉黨中的祕密，可曾洩漏出去。但他們很希望這位大偵探還沒有盡知他們的底細。

次日早晨，麥克滿杜到花柏森村去，警察很注意他。那個自稱和麥克滿杜在芝加哥認識的甲必丹・麥文，也在車站上遇見了他，要和他談話。麥克滿杜卻不願和他多說，掉頭而去。到了下午，他回到黨會裡去見麥金提。他說道：「他答應來了。」

麥金提道：「很好。」他穿著短衣，衣鈕上扣著很粗的金鍊，光彩耀目，胸前鑽石的別針，也從他鬚髯裡射出光來。從酒業和政治上的謀利，竟使這個身主變成一個有勢有財的人。但這時他腦海中忽浮出監牢的幻狀，似乎他不久便要鋃鐺入獄。

他問道：「你知道他探悉我們黨中的事了嗎？」

麥克滿杜搖搖頭道：「他不過來了六個星期，我猜他未必能夠詳悉。若他用鐵路公司所接濟的款，在我們這裡住下去，他自然能得知了。」

麥金提道：「我相信同黨中沒有軟弱受誘的人。他們都是心堅如鐵，只有馬列師可疑，我想可以先把他除去。在黃昏以前，可派兩個弟兄去處死他。這樣，他們便不能從他那裡聽到什麼消息了。」

麥克滿杜答道：「恐怕他對我們也無害。我和馬列師很熟，不忍見他受害，有一二次他和我談起黨會中的事，不像敢洩漏祕密的人。但身主既然懷疑，我也不敢多說什麼。」

麥金提發誓道：「我總有一天要把這老魔鬼處死。我注意他已有一年了。」

麥克滿杜道：「這也好，但無論如何，這事請等明天再說，因爲我們今夜務必出全力把品葛登的偵探解決了才好。」

麥金提道：「你的話很對。我們擒住愛德華後，再詢問他從那裡得到這個消息。其中恐怕不免藏著一幕計謀吧。」

麥克滿杜道：「我以謊話騙他，他竟上了我的當。我接受他的賄賂，並且答應看了祕件以後要給我更多。」說時他從身邊取出一卷紙幣來給衆人看。麥金提道：「什麼祕件？」「根本沒有什麼祕件，我騙他黨中的名冊和規約在我那兒。他希望能有豐富的收穫。」

麥金提很兇惡地說道：「果然！但他可有問你爲什麼不將這祕件帶給他看呢？」

「我說我若帶這些東西在身上，必定受到懷疑，因我本是一個受懷疑的人，況且今天又在車站上遇見甲必丹・麥文，怎麼可以呢！」

麥金提道：「聽了這一切，我知道你能獨擔重任，值得嘉許。我們不難撲殺這人。但你今晨既到過花柏森村和他相見，明天愛德華猝然身死，人家就要懷疑你了。」

麥克滿杜聳肩答道：「我們只要做得乾淨，沒有人可以作證。天黑以後，沒有人知道他出來。參議員，現在我把我的計劃說給你聽，你可同其餘的人早一刻來。他在十點鐘準時到我寓所，他會在門上輕敲三下，我會開門引他進來。我在他背後把門關上，他便陷入我們手裡了。」「那是很容易的。」

「是的，但第二步我們還須愼重考慮。他是很難降伏的人，他的體力過人，且防備嚴密。若我把他引進來，見了這麼多人——他本以爲只有我一人的，絕對會挺槍相鬥。如此，我們可能也會有人受傷，那不是個好辦法。」「不錯。」「且這聲音必定會驚動他人。」「我想你的話很對。」

「所以我想你們可以預先躲在一間大房間裡，你們已見過這室了。等他來時，我便開門引他到會客室中，拿假造的祕件給他看。趁他看時，我可跳上去，把他的兩臂捉住，使他不能開槍。你們若聽見我的呼聲，就可以奔出來，愈快愈好。因爲他的臂力很強，我恐怕不能支撐太久，但我會等到你們出來爲止。」

麥金提道：「這是一條妙計。你對黨會十分盡力。我猜，之後接續我做身主的，一定是你。」

麥克滿杜道：「參議員，眞的，我雖是新進會的人，但也願意盡我的本分。」他說時，臉上表情似乎是對於麥金提的恭維十分高興。

麥克滿杜回到家裡，著手準備晚上的這場決鬥。他把手槍擦亮，裝足子彈，再到屋內視察一番。那室很寬廣，正中擺著長桌，一邊有很大的火爐，四面有窗戶，沒有窗板，但上面都遮著窗簾。這眞是一個很適合幹祕密勾當的所在，因爲這裡離街道很遠。他和同伴史坎倫商議這事，史坎倫雖是黨員，但性子怯弱，見了流血的事便會懼怕，但他也不敢反對。麥克滿杜知道他的意思，遂向他勸說。

「麥克・史坎倫，如果我是你，今夜就逃到別處去。因爲在天明以前，這裡將有流血的事。」

史坎倫答道：「眞的，我雖不願，但心裡總害怕。因爲我見了鄧恩慘死的樣子，實在很難過，我不願參與這事。假使黨會裡沒有人認爲我不對，我就會照你的話，在夜裡和你們離別了。」

麥金提等照著所約的時間趕到麥克滿杜寓所裡。他們外表都很體面，衣著華麗，但他們兇獰的面目終難掩飾。衆人聚集室中，沒有不摩拳擦掌，準備廝鬥。他們殘忍好殺，猶如屠夫宰殺馴羊。身主麥金提的狀貌，一望而知是首要人物；書記哈萊惠是一個瘦子，身手很敏捷，他很忠心會務，因此往往不顧到人家的性命榮譽；司庫卡特是中年人，皮膚微黃，他是一個有才幹的人物，差不多一切犯罪的事，他都有分；韋廉培兄弟身材高大，年輕力壯；還有老虎考梅克，尤其兇猛；鮑耳溫也是強悍不屈。這些人當夜都守候在麥克滿杜家中，預備殺死品葛登的大偵探。

麥克滿杜取出酒來放在桌上，大家搶著狂飲。鮑耳溫和考梅克已喝得半醉，醉後更是兇惡。考梅克把他的手放在火爐上，火爐正燃燒著，因爲春夜多冷，藉此取煖。

他發誓道：「一定要和他比個高下。」

鮑耳溫也道：「他被我們捉住後，我們就會得知眞相。」

麥克滿杜道：「不要怕，我們終要從他那裡得知眞相的。」他生就鐵石心腸，再重大的事情，也看得很平常，衆人都稱讚他。

麥金提道：「由你來捉住他，你的手要扼住他的喉嚨，不要讓他呼救，可惜你的窗子沒有窗板。」

麥克滿杜走到窗邊，把窗簾拉得緊密些，道：「沒有人會在此時來探察的，時候也近了。」

哈萊惠道：「會不會他已得知危險的消息而不來了。」

麥克滿杜答道：「不用憂慮，他會來的，他和你們一樣的急切。你們聽！」

他們遂都放下酒杯，坐著像蠟像一樣不敢動，他們聽見門上敲了三下。

「不要出聲。」麥克滿杜以手示意，衆人臉上都很得意，手裡暗暗摸著手槍。

麥克滿杜低聲道：「你們不要出聲。」他遂走出房間，很小心地把門關上。

大家留心聽著，數著麥克滿杜的腳步聲，終於聽見他的開門聲，且似乎有兩人低聲說了幾句話。接著聽見來人的腳步聲和談話聲越來越近，不久又聽見關門上鎖的聲音，知道鳥已入籠了。考梅克不覺大笑，麥金提連忙把他的口掩住。

他低聲道：「笨蛋，不要出聲。你會壞了我們的事。」

他們又聽見隔板外喁喁談話聲，不能辨悉，麥克滿杜忽然推開進去，手指放在唇上。

他走到桌子邊，對他們打量了一下，臉色忽然改變，似乎有重大的事情要做。他神色凜然，威猛的目光，從眼鏡裡射出。他們正等他回答，但他卻一句話也不說，仍對著他們看。

麥金提忍不住說道：「他來了嗎？盤特．愛德華到這裡了嗎？」

麥克滿杜慢慢說道：「盤特．愛德華在此。

我就是盤特·愛德華！」

此話說完，室中立刻沉寂。只聽見火爐上壺中的水沸聲。大家臉色慘白，十分驚惶，呆瞧著這個站在面前的人。突然，一陣玻璃破碎的聲音，窗戶洞開，窗簾也被撕破，不少來福槍的槍管穿窗而入，森然排列著，瞄準他們。麥金提見這光景，大呼躍起，好似受傷的熊，跳到那半開的門邊。這時有一個人守在那裡，以手槍對著他，正是煤鐵礦場中的警察甲必丹·麥文。麥金提只好退後，倒在椅上。

他們認爲是麥克滿杜的這人說道：「參議員，你安坐在那邊。鮑耳溫，若你不把你的手離開手槍，那你就會吃虧。你把槍拿出來也好。須知道屋子的四周圍有四十個武裝的人等著。你想想你們還有什麼機會可以逃遁？麥文，可以把他們的手槍取下。」

在來福槍威脅之下，他們失去了抵抗的能力，衆人遂被麥文繳了械，很馴服地坐在桌邊。

麥克滿杜道：「我在離開以前，有一句話要向你們說。我想我們不會再見面了；除非在法庭上還有一面可見。以前我造了假名來騙你們，現在你們知道我是誰了。我可把名片放在桌上，我是品葛登的盤特·愛德華。我是受礦務公司的敦聘來破獲你們的黨會，所以冒險前來，沒有他人知道：即使對最親近的人，也守著祕密。只有甲必丹·麥文和少數警察知道我來這裡做事。感謝上帝，今夜我得勝了。」

這七個人都是瞪目切齒地看他，十分憤恨。

「我告訴你們，這事沒完，因爲還有六十多個同黨，今夜都要逮捕入獄。我老實告訴你們，我當初不信有你們這樣一個祕密黨會，以爲報紙上傳聞失實，所以要查個究竟。後來聽說斯酷鸞黨便是弗利門會的變名，我遂到芝加哥入會，但見會旨很好，沒有犯罪的事，更信我所料的不錯。我遂到這產礦的地方來，才知這裡果有這種黨派，我以前還懷疑是報上虛造的消息。我遂投入你們黨裡，在此觀察你們的行爲。我在芝加哥從沒有殺過人，我一生也沒有鑄造過假幣，我以前拿給你們的錢幣，都是眞的。我知道這樣可以合你們的意，遂假說我因犯罪而逃走，讓你們相信。我自從入黨以後，表面上和你們一同做事，人家總以爲我和你們一樣兇惡。但眞相是什麼？那夜我隨你們去痛毆司丹權時，一時匆促，來不及通知他。但是鮑耳溫，當你要弄死他時，我曾拉住你的手的。所以我一面向你們提議做事，一面卻把消息偷漏受禍的人，讓他預防。只是我來不及救鄧恩和美齊斯兩人，因爲我不知道。但是我不久就能看見兇手上斷頭臺的。我曾警告啓斯特・威耳考克斯，所以我到他家去轟炸時，他已遷避了。後來報中登載的死訊，也是我僞造的，他其實沒有死呢。不過，還是有其他犯罪的事，我無法幫助那些被殺的人。但你們再想看看，有許多人，你們要殺害，卻不能得逞，便可知道這就是我的傑作了。」

麥金提從齒縫中迸出聲音來道：「你這個害人的奸徒！」

「唉！約翰・麥金提，你稱我奸徒也好。須知你是上帝和人類的仇敵，所以總要有個人把你們殲滅才好。並且也只有這一個方法好做，而我也做了。你稱呼我『奸徒』，但我想有不少人要稱呼我是『救人的使者』，好像把他們從地獄中救援出來。我到這裡有三個月了，你們黨中的隱情都被我偵悉。現在因爲品葛登有人忽然走漏祕密，恐怕事情將有變動，我遂急速破案。我沒有別的話要說了。我將來雖死，但想到我在這山谷裡做的事，心中就很高興。現在，麥文，你們要小心看守這些罪犯，我要走了。」

、

另一方面，史坎倫很情願的接受了他同伴的吩附，送信到愛丹・歇富特小姐處。隔天，一清早，便有一個美麗的女子和一個英俊少年，坐著鐵路公司所派的特別快車，離開這個危險的地方。這是愛丹小姐和她的情人，在這恐怖之谷的最後一次影跡了。以後他們再也不會回到這個地方來。十天以後，他們便在芝加哥結婚，歇富特老人也已趕到，做他們的證婚人。

斯酷鸞黨徒被移到別處去審判。所以他們雖有金錢運作，也沒有效力。黨中的祕密全部洩露出來，所以他們的罪惡昭彰，無法可救，餘黨也都四散。凡米賽地方從此烏雲消散。麥金提和八個黨魁都被處死，其餘還有五十個黨徒也都有相當的刑罰，盤特・愛德華可算大功告成了。

但正像他所說的，這事還沒完全過去。鮑耳溫和韋廉培等幾個人都逃過了絞刑，不過被監禁了十年。釋放出來，重獲自由後，遂立志要代已死的同伴復仇。在芝加哥尋到了愛德華，兩次去行刺，都沒有得手，愛德華遂改了名姓，和他妻子住到加利福尼亞。這時他妻子愛丹因病而死，他又險遭行刺，遂改名道格拉斯和一個英國朋友白克合夥經營礦業，存了很多錢。那時他又得知黨人已追蹤到那裡了，他遂避到英倫。他也再娶了一位妻子，避到蘇薩克斯地方居住，約有五年，以後遂發生了以上所說的奇事。

尾聲

勃耳司冬案破了，約翰・道格拉斯遂到法庭受審。但因出於自衛而殺人，所以沒被判罪。福爾摩斯寫了一封信給道格拉斯太太，說道：「你教你的丈夫快點離開英國，這裡危機四伏，在英國，你的丈夫將無法得到安全。」

兩個月後，我們也漸漸淡忘了這事。一天早晨，我們信箱中忽然收到一封奇怪的信，信上只有簡短的幾個字，「天啊！福爾摩斯先生，天啊！」既沒有地址，也沒有署名。我見了這種奇異的信，覺得好笑。但福爾摩斯卻看得很嚴重。

他說道：「華生，你不要笑。這是不祥的消息。」說著只是皺眉。

晚上我們的房東哈德遜太太進來通報說，外面有一個客人，有要事來見福爾摩斯。我友答應，客人走入，原來就是在別墅中見過的朋友西錫兒・白克先生。他的面容憔悴，好似充滿著憂愁。

他說道：「福爾摩斯先生，我帶來了不好的消息——可怕的消息。」福爾摩斯道：「我也很擔心。」「難道你接到了電報了？」「我得到了一個不知什麼人寫來的信。」

「想必是可憐的道格拉斯了。他告訴我他的眞姓名是愛德華，但他對我常用道格拉斯的名字。他在三星期前，和他的妻子一同坐著派爾美拉郵船到南非洲去了。」「是的。」

「這艘船昨夜已到開普敦。今晨我從道格拉斯太太那裡接到一個電報：『船經聖海倫娜海峽的時候，我的丈夫忽然落海，不知道什麼緣故。——艾維．道格拉斯。』」

福爾摩斯轉念說道：「呀！這事是這樣的嗎？我認爲一定有內幕。」「你不認爲是意外？」「世上沒有這種事的。」「你想他是被人謀殺的嗎？」「當然。」「我也這樣想，想必是斯酷鸞黨餘黨所做的。」

福爾摩斯道：「不，不，先生，這另有一個主謀的人，是不費手槍和子彈。這譬如讀畫，只要看他怎樣著筆，便知畫者是誰。我告訴你，這是莫理亞提教授做的。罪惡的主其事者在倫敦，不在美洲。」

「爲什麼呢？」「因爲做這事的人，一定要達到目的，所以手段狡詐，思想縝密，自然是莫理亞提才有這種能力。好似以斧頭劈破栗子，用了非常的力氣，這栗子自然就破碎了。」「他怎麼做呢？」「我早已得知他黨人的通報。那些斯酷鸞黨初到英國，勢孤力弱，難以下手，遂和英國的祕黨聯結，求他們幫助。莫理亞提先令鮑耳溫去謀害他，不料反而失敗，他遂親自動手了。你也聽過我曾向貴友勸告，未來還有更大的危險呢。我說的可對？」

白克十分憤怒，握拳打著他自己的頭，道：「難道我們坐視不救嗎？沒有人能把這個魔王除去嗎？」

福爾摩斯道：「我何嘗不是這樣想，我並不是說他不能對付。但你要給我時間，這事須要慢慢兒下手。」他的目光似乎深思著將來。

我們大家靜坐多時，默然無語，凝重的眼神，似都急切地想要刺透那重黑幕。

眞相大白

附錄一

眞實與虛幻之間——柯南．道爾與福爾摩斯

「倫敦的貝克街上，一個肩掛照相機的遊客在抬頭找尋門牌。商業大厦管理員白拉斯見了便說：『又來了一個。』果然那遊客在門外止步，略一猶豫，然後推門而入，走到擺在大堂的辦公桌前，面帶困惑的神情向白拉斯問路：『我想找二百二十一號B座福爾摩斯的住宅。』

這已是當天的第十二次，白拉斯重複解釋二一九號到二三三號歷來是阿比國民房屋協會的會址，並非福爾摩斯和華生住宅……每星期都有大堆信件寄給二百二十一號B座福爾摩斯收。郵局總是負責地把這些信件交給阿比國民房屋協會，由協會客氣地簡覆：『收信人已遷，現址不詳。』」（註一）

福爾摩斯這個角色誕生至今已有一百一十年。對於全世界無數的福爾摩斯迷來說，他們絲毫不會懷疑他存在的眞實性。自從柯南．道爾一八八七年賦予他生命之後，這個身材瘦削、有著鷹鈎鼻、頭戴獵帽、肩披風衣、口啣煙斗的人就永遠活在人們的心中。

這個角色創造之初，其實並沒受到太多的關注。一八八六年，柯南．道爾完成了《血

字的研究》(A Study in Scarlet)之後，曾寄給「康希爾」雜誌，可是該雜誌並沒有意願刊登。之後，又轉寄了幾家出版社，仍不被採用。最後才由渥德·洛克公司買下，在一八八六年「比頓雜誌耶誕特刊」上發表，並於第二年出版單行本。全世界的福爾摩斯迷大概很難想像，他們心目中的大英雄的問世竟是如此一波三折。

柯南·道爾到底有什麼本事能夠創造出一個這樣活靈活現、家喻户曉的大偵探呢？要瞭解這一點，必須從他的生長背景講起。

柯南·道爾(Arthur Conan Doyle, 1859~1930)出生於蘇格蘭的愛丁堡。從小就對文學有濃厚的興趣。一八七〇年進入隸屬耶穌會的史東尼赫斯特(Stonyhurst)學院就讀(該校是全英國最著名的耶穌會學校)。一八七六年(十七歲)進入愛丁堡大學醫學院就讀。這些求學的過程，對他日後的創作影響深遠。尤其是醫學院強調歸納分析的方法，以及辨識疾病細微差異的臨床訓練，成就他塑造一個以科學方法辦案的偵探。在這段求學期間，他也遇到了一個對他影響至深的人——約瑟夫·貝爾教授(Dr. Joseph Bell)。這位教授在愛丁堡醫學院相當有名，很受學生的喜愛。他有一種特殊的能力，能立刻對一個素未謀面的病人斷出病症，並説出問診病人的職業、個性、生活習慣，以及曾在那裡服役，隸屬什麼兵團等。柯南·道爾對他這種「神奇」的能力相當著迷。而這位貝爾教授也就成了福爾摩斯的原型。柯南·道爾曾回憶到：

加博里歐(Gaboriau)（註二）的作品在處理情節的轉折處不留痕跡，相當吸引我。愛倫・坡筆下那位能幹的杜賓偵探從小就是我的偶像。但是，我是否可能來點特別的呢？我想到了我的老師貝爾。想到他瘦削如鷹的臉龐，他那奇妙的方法，以及對於事情細節一語道破的驚人能力。如果他是一名偵探，一定能將這個迷人，卻欠缺章法的事業導入精確的科學之路。我想試試看是否能夠達到這種效果。在現實生活中都有可能的事，我爲何不將它帶入小說中呢？（註三）

在《血字的研究》中，貝爾教授的影像清晰地浮現。當福爾摩斯初次見到華生時就說：「我瞧你到過阿富汗。」這點著實讓華生感到驚訝。華生也形容福爾摩斯：「……身高在六呎以上，因爲過分瘦削，顯得頎長無比……他那細長如鷹喙般的鼻子，顯示他機警果斷……。」

一八八一年，柯南・道爾取得了醫師的資格，在一艘貨輪上擔任隨船醫生。次年，開始自己執業。雖然從事醫務工作，但是他仍對文學創作充滿熱情。此時他開始嘗試偵探小說的創作。除了以貝爾爲原型創作出福爾摩斯之外，爲了推動劇情的發展，他也安排了一個福爾摩斯的最佳拍檔——華生醫生。這個角色的塑造具有相當的意義。他不僅發揮了綠葉陪襯紅花的效用，也似乎產生了一些非預期的結果。這位醫生是福爾摩斯的好友，也可以說是他的助手，他與福爾摩斯經歷相同的事情，卻不像福爾摩斯具有敏銳的觀察與推斷能力（甚至有些遲鈍），因此福爾摩斯得以透過與華生的對話，將他的觀察與推理過程告知讀者，然後由華生以第一人稱的方式講述出來（除了「獅鬣」（The Lion's Mane）、「爲祖國」（His Last Bow）……等篇外）。這種第一人稱的敘述方法，讓讀者很容易地就進入了作者所鋪陳出的情境中。此外，華生這個醫生的身份與柯南・道爾具有高度的重疊性，讀者在閱讀的過程中很容易就把華生等同於柯南・道爾。如此一來就增加了故事的可讀性與可信度。因爲在讀者看來，柯南・道爾是在向大家講述一個「他」與「他的朋友」所共同經歷的眞實故事。再加上他們就住在倫敦貝克街二百二十一號B座（眞有此住址），也過著典型的維多利亞女王時代的生活：坐著大家熟悉的兩輪或四輪馬車出沒於倫敦街頭，有一個女房東兼管家婦負責幫他們傳遞來訪者的名片並引見客人，每天都閱讀「每日電訊報」，有時會去劇院欣賞音樂或看賽馬，遇到急事則去電報局發電報……。凡此種種，難怪讀者會這麼相信福爾摩斯與華生是眞有其人，彷彿走在倫敦的街道上，隨時都可能與他們擦身而過。

由於角色塑造的成功，故事情節懸疑緊湊，使得福爾摩斯探案受到了大家的肯定。一八八九年柯南・道爾繼續發表了第二個長篇《四簽名》（The Sign of Four），獲得了熱烈的迴響。不過他的醫生生涯卻不像他的文學生涯一般順利。他在倫敦的眼科診所門可羅雀，許多作品是他在診療室中完成的。這種窘境促使他在一八九一年決定棄醫從文，專心從事文學創作。

貝爾雖是福爾摩斯的原形，但他決非福爾摩斯的全部。因爲柯南・道爾本身的部分特質也融入其中。由於醫學院的訓練，使得他具備敏銳的分析推理能力，因此對於劇情的鋪陳與推理毫無困難。再加上從小母親就教育他要守法，尊重正義，培養他具備騎士的精神，所以他自然也會把這些精神注入他所創作的角色當中，福爾摩斯和華生都分享了這些特質。他們兩人在劇中協助警方打擊不法，幫助弱小與婦女，或者基於榮譽感與愛國心爲政府效命（例如在「爲祖國」一劇中幫助英國政府破獲德國間諜一案）等，這些正是騎士精神（或者可說是英國紳士精神）的具體展現。

福爾摩斯探案的成功，使得柯南・道爾名利雙收，約稿源源不斷。然而他開始厭倦不停地寫福爾摩斯，他抱怨福爾摩斯佔據他太多的時間，甚至把他的心靈從美好的事物中攫走。因爲柯南・道爾其實更喜歡寫歷史小說（註四）。一八九三年，他寫了「最後問題」（The Final Problem），讓福爾摩斯與他的死對頭莫理亞提教授（Professor Moriarty）雙雙墜落瑞士的萊亨巴哈瀑布（Reichenbach Falls）中。柯南・道爾覺得鬆了一口氣，終於可以擺脫這個麻煩的公衆英雄，全心投入自己更喜歡的文學創作。不過福爾摩斯的死訊一宣布之後卻引發了讀者的錯愕與抗議（就連作者的母親也提出了抗議）。超過兩萬人取消訂閱連載福爾摩斯的「河濱」雜誌（Strand），許多人傷心地爲福爾摩斯服喪以示哀悼，甚至有位女士還非常沒禮貌地寫信去指責他，劈頭就罵：「你這個殘忍的畜生！」這種種激烈的反應恐怕連作者都始料未及。儘管如此，柯南・道爾仍不為所動。直到一九〇三年柯南・道爾才又讓他在「空屋」(The Empty House)一案中戲劇性地復活，重新展開他驚險、刺激的偵探生涯。

柯南・道爾傾畢生之力創作福爾摩斯的系列故事，總共寫了四個長篇，五十六個短篇。在故事的終了，他並沒有明確地交待福爾摩斯的最後去處，只是從故事中我們可以知道，福爾摩斯後來歸隱蘇薩克斯做「養蜂學」的研究。這樣的安排，對於廣大的福爾摩斯迷來說當然是很難接受的。許多人自圓其說地認為，福爾摩斯明的是去做研究，暗地裡則是轉而為英國情報局效命了。所以在「為祖國」一案中可以發現福爾摩斯又重現江湖了！這種說法究竟是讀者一廂情願的解釋，或者果真如此，其實已沒有深究的必要了。因為誰會願意殘忍地去戳破心目中的夢想呢？不論如何，可以肯定的是，自從「空屋」一案奇蹟似地復活之後，福爾摩斯與華生就永遠地生活在濃霧彌漫的倫敦城中了。因為就如一位研究福爾摩斯的學者史塔列特所言：「在烏有之鄉，在幻想的心裡，福爾摩斯和華生兩人，為了愛他們的人永生不死。」

註釋

一　摘錄自一九七三年四月號的《讀者文摘》，頁一〇三——一〇四。

二　加博里歐(Gaboriau, Emile, 1823?～1873)，法國的小說家，有法國的愛倫·坡之稱。

三　本段文字摘譯自 Hodgson, John A., (eds.) *Sherlock Holmes: The Major Stories with Contemporary Critical Essays*. Boston: Bedford Books, 1994 (p.4)

四　柯南·道爾的一部歷史小說《白衣團》(The White Company)，曾有人讚美它是自《艾凡侯》(亦有譯爲《薩克遜英雄傳》)(Ivanhoe)以來最好的歷史小說。

附錄二

柯南·道爾(Arthur Conan Doyle)年譜

一八五九年　五月二十二日生於蘇格蘭的愛丁堡。

一八七〇年　進入隸屬於耶穌會的史東尼赫斯特(Stonyhurst)學院就讀。該校是全英國最著名的耶穌會學校。

一八七五年　完成史東尼赫斯特學院的學業，至奧地利的耶穌會學校留學一年。

一八七六年　進入愛丁堡大學的醫學院就讀，在那裡他遇到了對他影響深遠的約瑟夫·貝爾(Dr. Joseph Bell)老師——他就是福爾摩斯的原型。

一八八一年　大學畢業後，在一艘非洲西岸航線的客貨輪上擔任隨船醫生。

一八八二年　開始執業。

一八八五年　與露薏絲·霍金斯(Louise Hawkins)小姐結婚。

一八八六年　完成福爾摩斯探案的第一個長篇《血字的研究》。寄給「康希爾」雜誌，可是該雜誌沒有意願刊登。最後由渥德·洛克公司買下，在「比頓雜誌耶誕特刊」上發表。

一八八七年　《血字的研究》單行本發行。
一八八九年　發表福爾摩斯探案的第二個長篇《四簽名》。
一八九〇年　發表歷史小說《白衣團》(The White Company)。曾有人讚美這部作品是自《艾凡侯》(Ivanhoe)以來最好的歷史小說。
一八九一年　去維也納研讀眼科學。隨後在倫敦開設眼科診所，但生意清淡。決定棄醫從文，專心從事文學創作。
一八九二年　將發表的十二個福爾摩斯探案短篇故事，集結成第一個短篇《冒險史》。
一八九三年　妻子露薏絲罹患肺結核。
在「最後問題」一篇中宣布了福爾摩斯的死訊。暫時結束有關福爾摩斯的創作。
一八九四年　將之前陸續發表的十一個短篇故事，集結成第二個短篇《回憶錄》。
一八九七年　認識琴・賴基(Jean Leckie)小姐，並墜入情網。
一九〇〇年　赴南非，以軍醫的身分參加布爾戰爭(Boer War)。並發表作品《大布爾戰爭》。
一九〇二年　受封騎士爵位。
發表福爾摩斯探案的第三個長篇故事《古邸之怪》。

一九〇三年　由於廣大讀者的要求，福爾摩斯在「空屋」一案中復活了！
一九〇五年　出版福爾摩斯探案的第三個短篇故事集《歸來記》。
一九〇六年　妻子露薏絲去世。
一九〇七年　與琴·賴基小姐結婚。
一九一五年　出版福爾摩斯探案的最後一個長篇《恐怖谷》。
一九一六年　宣布轉向性靈學的研究。
一九一七年　出版福爾摩斯探案的另一個短篇故事集《爲祖國》。
一九一八年　出版《新啓示錄》(The New Revelation) 一書。此書是柯南·道爾轉向研究形而上學之後，有關這方面的第一本著作。
一九二七年　出版福爾摩斯探案的最後一個短篇故事集《福爾摩斯個案紀錄》。（編者案：本局將最後的兩個短篇故事集合併成本系列故事的最後一個短篇《新探案》。）
一九三〇年　七月七日與世長辭。

參考書目

中文部分

呂美玉　〈永生不死的福爾摩斯〉，中國時報四十三版，一九九七年二月十六日。

黃永林　《中西通俗小說比較研究》，臺北：文津，一九九五年。

彼德・布朗恩(Peter Browne)　〈福爾摩斯永在人間〉，《讀者文摘》四月號，一九七三年。

林　瀅　〈「偵探小說迷」倫敦朝聖（上）〉，《推理雜誌》一五一期，一九九七年。

范伯群　《偵探泰斗——程小青》，臺北：業強，一九九三年。

　　　　《民國通俗小說鴛鴦蝴蝶派》，臺北：國文天地，一九八九年。

徐淑卿　〈推理小說重現江湖〉，中國時報四一版，一九九七年九月十八日。

程盤銘　〈福爾摩斯是如何創造出來的？〉，《推理雜誌》一四六期，一九九六年。

　　　　〈福爾摩斯探案中的社會背景〉，《推理雜誌》一四七期，一九九七年。

　　　　〈福爾摩斯之前應用推理法的前輩們〉，《推理雜誌》一四八期，一九九七年。

　　　　〈福爾摩斯探案與偵探小說的定型〉，《推理雜誌》一四九期，一九九七年。

〈福爾摩斯的行業：私家偵探〉，《推理雜誌》一五〇期，一九九七年。
〈福爾摩斯探案在偵探小說中的地位〉，《推理雜誌》一五一期，一九九七年。
〈福爾摩斯年譜〉，《推理雜誌》一五二期，一九九七年。
〈福爾摩斯偵探術〉，《推理雜誌》一五三期，一九九七年。
〈福爾摩斯的俠義精神和越權行爲〉，《推理雜誌》一五四期，一九九七年。
〈福爾摩斯與公家警察〉，《推理雜誌》一五五期，一九九七年。
〈抬舉福爾摩斯成名的選手們〉，《推理雜誌》一五六期，一九九七年。
〈福爾摩斯探案的「眞經」與「僞經」〉，《推理雜誌》一五七期，一九九七年。
〈福爾摩斯探案中的「中國」〉，《推理雜誌》一五八期，一九九七年。

新潮推理編輯室　〈偵探小說的開拓者……柯南．道爾〉，臺北：志文，一九九五年。
〈柯南．道爾的生平與其作品〉，臺北：志文，一九九五年。
〈家喻戶曉的福爾摩斯〉，臺北：志文，一九九五年。
〈柯南．道爾年譜〉，臺北：志文，一九九五年。

鄭麗園　〈貝克街二二一號〉，《英國女王有請！》，臺北：聯經，一九九六年。

盧郁佳　〈百分百死亡遊戲〉，聯合報四五版，一九九七年十月二十七日。

魏紹昌　《我看鴛鴦蝴蝶派》，臺北：商務，一九九五年。

英文部分

Doyle, Arthur Conan *Great Works of Sir Arthur Conan Doyle*. New York: Chatham River Press, 1984.

Hodgson, John A., Editor *Sherlock Holmes: The Major Stories with Contemporary Critical Essays*. Boston: Bedford Books of St. Martin's Press, 1994.

國家圖書館出版品預行編目資料

恐怖谷 / 柯南・道爾原著；程小青等譯.
-- 修訂一版. -- 臺北市：世界，1997〔民 86〕
面； 公分 -- (福爾摩斯探案全集)
譯自：The valley of fear
ISBN 957-06-0171-X (平裝)

873.57 86015775

福爾摩斯探案全集

恐怖谷

722-2922

作者／柯南・道爾
譯者／程小青等
修訂整理／世界書局編輯部
發行人／閻初
發行者／世界書局
登記證／行政院新聞局局版臺業字第〇九三一號
地址／台北市重慶南路一段九十九號
電話／(〇二)二三一一〇一八三
傳真／(〇二)二三三一七九六三
郵撥帳號／〇〇〇五八四三—七 世界書局
印刷者／世界書局
出版日期／一九二七年初版一刷
一九九七年十二月修訂一版一刷
定價／一三〇元